Cet ouvrage se compose de sept entretiens avec Arrabal, recueillis par Albert Chesneau et Angel Berenguer à Courcerault, ainsi que d'une biographie chronologique de Fernando Arrabal, établie par Angel Berenguer et traduite de l'espagnol par Pierre Charpentier.

photo de couverture :
Le Labyrinthe - *Felez 1968*

maquette :
Pierre Croce

Plaidoyer pour une différence

Entretiens recueillis à Courcerault par
Albert CHESNEAU
Angel BERENGUER

PRESSES UNIVERSITAIRES DU QUÉBEC
1978

AVERTISSEMENT

Une bibliographie complète des œuvres d'Arrabal ou sur Arrabal est disponible sur demande, chez l'éditeur, à l'adresse ci-dessous.

© Presses Universitaires de Grenoble, 1978
B.P. 47 X - 38040 Grenoble Cedex
ISBN 2-7061-0145-8

La naissance d'Arrabal
Arnaïz, 1963

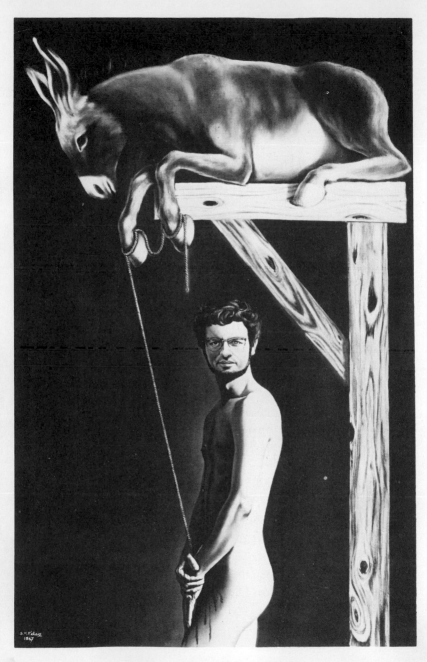

Arrabal châtré par l'âne biblique
Felez, 1967

ARRABAL PEINTRE DE LA TRAHISON

Albert Chesneau - Fernando Arrabal, nous voici à Courcerault, dans ce petit village de l'Orne, à cent cinquante kilomètres de Paris, pour faire le point sur votre œuvre. Vous êtes maintenant un auteur mondialement connu, avec l'étiquette d'un écrivain d'avant-garde dont l'arme est la provocation.

Angel Berenguer - Dans notre société, esthétiquement et philosophiquement très avancée, les gens ont tendance à s'endormir dans un certain conformisme. Le premier souci d'Arrabal a été de les sortir de là. N'oublions pas ses origines espagnoles. Sa technique est celle du *torero* qui agite sa *muleta* devant le taureau pour attirer son attention. Ce n'est qu'après, une fois que le taureau a réagi, qu'on peut délivrer le message.

Fernando Arrabal - C'est le point de vue du taureau que vous présentez là. Pour moi les choses se passent autrement. Je n'ai jamais fait de la provocation délibérée. Mon œuvre la plus choquante, à mon sens, c'est *Viva la muerte*. Et tout mon souci, pendant le tournage de ce film, c'était de me dire : « Oh ! Mon Dieu ! Cette histoire de ce garçon, qui aime tant sa mère, est-ce que ça ne va pas être trop fleur bleue ? ». J'avais peur que mon film ne paraisse trop sentimental, et qu'on m'accuse de me complaire dans la nostalgie. Et la réaction d'une partie au moins du public, qui a vu dans mon film l'étalage d'une cruauté provocante, a été pour moi une très grande surprise.

A. C. * - On touche ici à un problème majeur de votre œuvre. Votre sensibilité est le résultat d'une biographie très chargée, très dramatique, et cela vous met un peu hors du commun. Les spectateurs ayant une autre expérience sensible, ils ont du mal à vous suivre sur votre terrain affectif.

F. A. - Je me trouve dans une tenaille : c'est de participer à mon propre monde d'émotions, mais sans excès, sans jouer à fond la carte, de manière à gagner la partie très simplement.

A. B. - Après vingt-cinq ans de carrière d'écrivain, d'homme de théâtre, de cinéaste, quel est le bilan artistique ?

F. A. - Il faut d'abord dire que je ne tiens pas constamment toute mon œuvre présente à mon esprit. Mais ce qui me frappe, c'est la promptitude avec laquelle elle a été faite. J'étais encore très jeune que déjà j'avais composé un grand nombre de pièces. Mais mentalement j'étais plus jeune encore, car mon expérience du monde et de la vie était à cette époque des plus restreintes. J'avais peut-être une biographie très lourde, mais finalement un monde d'analyse très limité.

A. C. - Vous définiriez-vous vous-même comme une sorte d'artiste brut, comme un écrivain à l'état sauvage ?

F. A. - C'est justement cette précocité que j'aimerais qu'on étudie. On se trouve en face d'un écrivain qui travaille sans savoir ce qu'est la littérature. Comment un tel phénomène peut-il se produire ? L'écrivain se lance tout simplement à un moment donné, et témoigne de son expérience à sa manière, dans le plus simple et le plus innocent des langages. Innocent pour lui : il ne peut pas dire autre chose que ce qu'il dit, ni le dire autrement, puisqu'il n'a pas appris. Et que sont ces premières pièces, que sont-elles devenues pour moi, vingt ans après ? Il me faudrait maintenant les relire avec la plus grande attention pour pouvoir porter un jugement sur elles.

A. B. - Ce qui est indéniable en tout cas, c'est qu'elles avaient en commun une certaine facture, tout à fait caractéristique. On voit bien qu'elles sont liées à un style, à une écriture. Révolue. Ce que vous écrivez maintenant appartient à un nouveau stade, et répond à de nouvelles préoccupations. Faudrait-il dire que la nouvelle écriture est plus engagée, plus politique, plus savante aussi que l'ancienne ?

F. A. - C'est surtout une question de moments. Il se peut qu'un jour je revienne à cette première prose. Chez moi, tout dépend beaucoup des circonstances. Mon écriture n'est jamais définitive. Par exemple, si vous voulez savoir comment les choses se passent en réalité pour un dramaturge joué partout mille fois et appelé pour cela à voyager beaucoup : en général, quand une de mes pièces est republiée, l'éditeur me demande si j'ai des corrections à faire et, par hasard, je corrige. Mais si à ce moment-là je me trouve à l'étranger, pour y suivre une pièce nouvelle qui me préoccupe fort, ou bien si l'éditeur ne me représente même pas les épreuves — cela arrive — alors je ne corrige pas. Et la critique s'imaginera qu'il s'agit d'un choix de ma part, que je veux m'en tenir à un certain style d'autrefois, alors qu'en réalité on ne m'a pas donné l'occasion de me corriger. En fait, si je suivais mon impulsion, je serais tout le temps en train de modifier mon texte, non pas que j'estime que la manière nouvelle vaut plus ou vaut moins, mais parce que j'ai le souci de livrer chaque fois un message qui corresponde vraiment au moment où je le donne.

A. C. - Et bien, Arrabal, nous vous suivrons sur votre terrain, en vous considérant comme un auteur évolutif, dont les changements de style — lorsqu'il y en a — correspondent à des changements de sensibilité. Retraçons donc votre carrière en suivant l'ordre chronologique. Il me semble qu'il faudrait partir de *Baal-Babylone.*

F. A. - Non ! C'est un roman qui a été rédigé au cours d'un voyage, d'après des notes prises lorsque j'étais à Valence, en Espagne. Mais il y a eu des pièces auparavant, qui sont encore inédites aujourd'hui, et que je publierai peut-être un jour. Dans l'œuvre que vous connaissez, il se peut bien que le premier jet de *Baal-Babylone* ait été antérieur au premier jet de pièces comme *Pique-nique en campagne,* ou *Le cimetière des voitures.* Mais il y avait eu avant ces inédits dont je vous parle. Ils sont demeurés dans mes tiroirs, parce que sur le moment je pensais que ces pièces-là n'étaient pas suffisamment belles. Mais maintenant, au fur et à mesure que le temps passe, elles acquièrent, comme les vieux objets, une sorte de plus-value à mes yeux.

A. C. - *Baal-Babylone,* rebaptisé plus tard, dans l'édition 10/18, *Viva la muerte,* d'après le titre du film qui en avait été tiré, me semble une œuvre des plus importantes. Car elle a contribué très fortement à créer une légende, une mythologie Arrabal, contre laquelle vous vous êtes élevé lors de votre visite à l'Université de Toronto, en février 1977. Vous y avez dénoncé avec beaucoup d'humour les visions critiques dépassées qui faisaient de vous un écrivain de type familial, obsédé par le souvenir d'un gentil papa et d'une méchante maman.

F. A. - Oui, c'est une image de moi un peu simpliste, au niveau de l'anecdote pour journaliste. Au niveau profond, *Baal* et *Viva la muerte* posent le problème de la nature de la relation entre les enfants et leurs parents. Je me suis intéressé à la nécessité de la révolte de l'enfant, et à l'importance de la disparition. Ces œuvres finalement nous montrent que le plus beau cadeau qu'un père puisse faire à son fils, c'est de disparaître. Son image sera grandie par sa mort et par l'impossibilité où il se trouve d'être confronté à la réalité, si bien qu'il deviendra une sorte de héros, de personnage mythique. Alors qu'à côté la présence de la mère, qui, elle, n'a pas disparu, est intéressante comme point de contestation.

A. C. - Et pourquoi ce titre oriental ?

F. A. - C'est que le monde oriental m'est profondément familier, à moi comme à tant de familles espagnoles.

A. C. - Vous y revenez en effet, dans ce que nous appellerons votre nouvelle manière, avec un titre comme *La tour de Babel.*

F. A. - Oui, toute notre éducation nous y ramène ; car enfin tout n'était pas contestable dans cette éducation que nous avons reçue. Il y a eu des choses très bénéfiques, comme l'attachement à ce livre admirable qu'est la Bible, et à ses extraordinaires images !

A.B. - Sous un autre rapport, plus politique, on se rend compte que ce besoin de rupture avec l'univers dans l'esprit de l'enfant de *Baal-Babylone* correspond, en fait, à tout un état d'esprit, qui régnait en Espagne durant votre jeunesse, Arrabal. A un moment donné a disparu une situation politique caractérisée par une relation de type paternel. C'est cela, le fait républicain dans l'Espagne des années 1936. De cette disparition, brutale, de l'autorité sur le mode paternaliste, il est résulté toute une série de prises de position, toutes radicales, en Espagne. Et peut-être faudrait-il alors mettre maintenant dans un contexte un peu plus large ce roman de *Baal-Babylone,* qui est bien autre chose qu'une réponse individuelle à un problème familial.

11

F. A. - Ça se défend. Ça se défend même très bien. Mais, voyez-vous, je pense, quant à moi, que mon comportement n'avait rien à voir avec celui des autres qui m'entouraient. Je me sentais profondément différent, insolite. Il n'est pas défendu de dire que ma réponse à ma mère est une réponse héritée de la guerre civile, et c'est sans doute vrai. Mais le fait est que j'aurais pu avoir un tout autre comportement, en théorie, et que, dans la pratique, il n'en a rien été. La réponse de mon frère, par exemple, fut très différente de la mienne, alors que nous vivions, dans la même famille, le même drame national. Sa révolte à lui s'est passée très doucement. Un homme comme moi se serait révolté avec le même éclat en tout état de cause, avec ou sans guerre civile, et quelle que soit l'histoire autour de lui. Je suis un homme de rupture.

A. C. - Cela, nous le savons tous, et depuis longtemps. Ce que nous aimerions obtenir de vous, aujourd'hui, c'est votre sentiment profond sur cet esprit de rupture. Pourquoi est-il en vous, comment s'est-il accroché à vous, au point de constituer pour nous, lecteurs, un de vos traits de caractère les plus pertinents ?

F. A. - C'est une sorte de confidence que vous me demandez là ! Eh bien ! A un moment donné, j'ai éprouvé, mais très fortement, un sentiment de trahison, qui m'envahissait tout entier. Alors, j'ai cherché à l'expliquer. Pendant très longtemps, j'ai cristallisé ce sentiment en croyant que c'était ma mère qui avait trahi mon père. Ça m'a marqué. Beaucoup plus que le reste de ma famille qui, lui, n'a pas cru du tout à cette trahison. Moi, au contraire, j'ai fait de la trahison l'essentiel de la vie. J'en ai vu partout, et je me suis mis à la redouter partout. Je craignais d'être trahi par mes amis, par les gens de mon entourage, par mes compatriotes. Il y a là un élément purement psychologique, purement personnel, et infiniment plus important que tous les événements historiques de la guerre civile pour expliquer la genèse de ma sensibilité. Et n'oubliez pas que je suis devenu — que je devenais en ces mêmes instants — un dramaturge, fasciné par cette attitude vitale, viscérale, qu'est la trahison, mille fois plus passionnante pour l'homme de théâtre qu'un simple fait historique, qui n'est pas vital, mais accidentel.

Si bien que je me suis vu acculé à la rupture, le plus sincèrement et le plus innocemment du monde parce que je me sentais trahi. Et c'est là que réside la difficulté. Ce qu'il est devenu traditionnel d'appeler mon " innocence ", c'est une manière de voir très tranchée, dans laquelle la menace de la trahison prend beaucoup plus d'importance que son exécution. Et cette menace de trahison, je ne pouvais pas la nier. Elle existait si fort dans mon esprit ! Maintenant, du temps s'est écoulé, je suis beaucoup plus serein vis-à-vis de tout cela, et j'en viens à penser que, peut-être, objectivement parlant, il n'y a pas eu de trahison du tout. Mais j'y ai cru. Et voici ce qui se passe quand on croit à la trahison. Il se forme autour de vous un monde kafkaïen, dans lequel les positions sont solides comme du marbre. En effet, celui qui croit à la trahison considère comme des traîtres tous ceux, quels qu'ils soient, qui lui semblent l'attaquer et menacer ses positions de défense. C'est-à-dire, pour être clair, que dans ces temps où je croyais que ma mère avait trahi mon père, je considérais immédiatement comme son complice quiconque cherchait à la justifier. C'était comme si cette personne avait armé d'un poignard le bras de ma mère. Il l'armait *a posteriori,* en cherchant à la justifier après coup, mais il l'armait.

Alors, tout cela contribuait à créer et à entretenir dans mon esprit une situation très dramatique, mille fois plus passionnante — je me répète, il le faut — que n'importe quelle misérable péripétie historique. Dans ce monde kafkaïen, qu'il est nécessaire de prendre tel qu'il est, on ne trouve pas de noir ni de blanc, il n'y a pas de oui ni de non. Car, d'une minute à l'autre, les choses ou les idées peuvent vous trahir, le noir devenir blanc, le oui se déguiser en non. C'est un monde très fluctuant, dans lequel rien n'est définitif. En tombant dans le piège de la trahison, j'étais tombé du même coup sans le vouloir dans le piège le plus essentiel et le plus symbolique de tout ce qui se passe dans le monde. La trahison, c'est une analogie de l'amour, c'est un synonyme de la vie, c'est un synonyme de tout.

Voilà, en deux mots, comment j'explique ce qui m'est arrivé. Tout d'abord, j'ai vécu cette réaction immédiate, instinctive, à la trahison. Et ensuite j'ai connu le temps de la réaction réfléchie, dans laquelle on fait la part des choses. Et c'est là, j'imagine, toute la difficulté qu'on éprouve en face de mes œuvres de la première manière, puisqu'elles dépeignent ma réaction non-réfléchie, brutale. Mais l'amour non plus on ne peut pas l'expliquer. C'est aussi une réaction à l'état brut.

A. C. - Alors, pardonnez-moi de lâcher le mot, faut-il dans ces conditions parler d'Arrabal comme d'un artiste paranoïaque, qui se serait spécialisé dans la peinture du délire de persécution ?

F. A. - Mais pas du tout ! Je récuse aussi cette interprétation, de même que je récusais l'interprétation par l'histoire ! Voyons, étant donné que je fais la part des choses, que je vois bien, et avec certitude, et en toute lucidité, ce qu'est le monde kafkaïen de la trahison ; et que, parallèlement, je vois très bien ce qui se passe aujourd'hui dans mon comportement de tous les jours, je me considère comme tout le contraire d'un paranoïaque ! Le paranoïaque, c'est, très souvent, celui qui s'oppose à moi, en brandissant ses convictions, en agitant l'étendard de ses croyances. Ou tout au moins, car je ne veux fâcher personne, il court le risque, s'il se prend trop au sérieux, de tomber provisoirement dans la paranoïa. Il est bien certain que le plus proche de la paranoïa, ce n'est pas l'Arrabal de 1954, qui se trouvait alors en Espagne ; mais ce sont plutôt les docteurs espagnols lorsqu'ils disaient : « Arrabal est fou, parce qu'il arrive toujours en retard à son travail » (1). Le fait d'aimer quelqu'un passionnément, quoique sur le mode passionnel particulier à qui se croit plongé dans l'univers de la trahison, c'est une expérience qui *a priori* n'empêche ni de s'analyser ni de réfléchir. Qu'on ne fasse pas une caricature ! Et vous savez aussi bien que moi qu'il y a, et pas seulement en Espagne, des régimes qui se permettent toutes les impudences. S'ils ont envie de déclarer que le cendrier qui se trouve sur la table est schizophrène, le cendrier est schizophrène. Cela n'est pas sérieux.

A. C. - Non, cela n'est pas sérieux. Mais je vois pourtant, dans votre théâtre, quelque chose qui me semble révélateur. Ce qui est très important dans le déroulement d'une fantaisie de persécution, c'est la cérémonie du procès que les autorités font à tort ou à raison au persécuté — à tort le plus souvent, il faut bien le reconnaître. Or, vous ne nierez pas, Arrabal, l'importance primordiale de cette cérémonie dans vos pièces. Elles en sont remplies.

F. A. - Oui, il y a beaucoup de procès dans mon œuvre. Mais remarquez bien ceci : c'est toujours le traître qui juge. Il se sert de la trahison pour juger. Mes personnages « vrais », et surtout, parmi eux, celui que dans certaines pièces j'appelle « mon » personnage, ne jugent jamais.

A. B. - Attention, attention ! Distinguons bien les choses. Parce qu'après tout, dans une pièce donnée, le juge est lui aussi un personnage de la pièce.

F. A. - Oui, bien sûr, mais ce n'est pas « mon » personnage. Voici comment je vois la situation. Je suis face au juge. Ou bien c'est mon personnage, le personnage qui me représente dans la pièce, qui est face au juge. Et le juge, lui, ne me représente jamais. Ce que le personnage de moi fait — comme il m'arrive à moi-même de le faire — c'est qu'il exerce, à un moment donné, la possibilité de casser. Il y a comme une sorte de salive qui se crée entre un être et un autre, et qui passe entre eux (tout au moins, c'est comme cela que je vois les choses). Et tout d'un coup, le personnage coupe la salive. Mais sans juger.

(1) Allusion aux années de bureau d'Arrabal, qui ne pouvait pas se trouver à l'heure à son travail. Convoqué chez le directeur, il lui explique sa situation : en plus du travail de bureau, il fait des études de droit, il écrit des pièces. Le directeur s'intéresse à lui, fait une exception en sa faveur, et l'autorise à arriver à 9 heures moins le quart le matin au lieu de 8 heures. Mais Arrabal continue à être en retard. D'où de nouvelles convocations du directeur, d'où les avis de médecins (les « docteurs » dont il est question sont des docteurs en médecine), qui voient dans cette absence continuelle de motivation un dérèglement psychologique et une conduite a-sociale, ou anti-sociale, qu'ils condamnent.

A. C.

Arrabal sauvé par le Phénix
Felez (?), 1966

Arrabal combattant sa mégalomanie
Arnaïz, 1963

Deuxième entretien :

LE DÉFENSEUR DES MONSTRES

F. A. - Ce que je veux dire, c'est une autre chose qui me semble capitale en cette affaire. Si le thème de la trahison est très important chez moi, il y en a aussi un autre, qui a tout autant de force et qui coexiste avec le premier. J'entends par là que je revendique presque automatiquement comme mienne toute forme d'existence contre laquelle s'exerce une discrimination. C'est un sentiment profond en moi qui, depuis son origine, mène aux dernières conséquences, et cela de la manière la plus parfaite. C'est-à-cire que dès l'origine je défendrai les monstres, ceux que le monde a considérés comme des monstres. Il va de soi que toute forme de pensée totalitaire, ou dogmatique, m'accusera de deux choses. Elle me taxera de folie, puisque je suis un homme qui souligne la trahison — or la trahison est universelle — et en second lieu elle m'accusera de monstruosité. L'ancien régime, chez moi, en Espagne, n'avait pas de mots assez insultants pour parler des nains, des gens à la tête trop grosse, etc... Et ce qui est extraordinaire, c'est de voir qu'aujourd'hui les mêmes insultes ont été employées contre moi. Je trouve que c'est très révélateur, car le point le plus fondamental, le plus essentiel de mon œuvre, c'est de défendre cette idée que les monstres peuvent — et doivent — vivre comme les autres.

A. C. - Vous éclairez par là tout le début de votre dernier film, *L'arbre de Guernica,* dans lequel toute une séquence, jouée par des nains, illustre ce postulat que vous venez d'énoncer si clairement. Comme les autres, les nains ont droit au bonheur. Et en effet, lors de votre passage à l'Université de Toronto, lorsqu'on a voulu projeter le film dans une des salles publiques de la ville, les censeurs — faudrait-il dire, comme sous cet ancien régime dont vous parliez à l'instant, les Inquisiteurs ? — ont exigé la suppression de toute la séquence des nains, sous le prétexte qu'elle pouvait être choquante aux yeux de certains spectateurs.

F. A. - La censure obéit à des canons totalitaires selon lesquels il faut condamner les monstres.

A. B. - Pourriez-vous préciser ce que vous entendez exactement par le mot *monstres ?*

F. A. - Pour moi, il n'y a pas de monstres. Mais je suis bien forcé d'utiliser le langage de mes ennemis paranoïaques qui voient des monstres partout. J'appelle *monstres* ceux que les totalitaires appellent des monstres, c'est tout.

A. C. - Oui, et ce sont peut-être tous ceux chez qui une différence d'apparence physique, de sensibilité ou de comportement prend des proportions telles qu'on ne peut plus l'ignorer ou la passer sous silence. Ce qui met mal à l'aise la foule des autres, de tous ceux qui sont indifférenciés et qui communient à l'intérieur de leur propre système. Il ne leur reste pas trente-six solutions. Ou il faut liquider ceux qui diffèrent d'eux, ou on les relègue dans leur ghetto, mais on doit surtout empêcher une voix de parler pour eux.

F. A. - Moi je considère les choses tout bêtement dans l'optique où les ont considérées les totalitaires d'hier et d'aujourd'hui, chez moi, dans mon pays. Ils ont toujours usé d'un même système. Pour se référer à moi, par exemple, ils ont trouvé l'expression '« el nano Melillense », le nain de Melilla. Ou bien encore, ils ont dit : « Arrabal, avec sa grosse tête de pharmacien ». Ce qui, en outre, et sans qu'on sache pourquoi, se trouve être dans la bouche de mon ennemi totalitaire aussi insultant pour les pharmaciens que pour moi. Il s'agit en fait d'une trouvaille d'un très important romancier espagnol, aujourd'hui de gauche. Mais cela veut dire que lorsque les traîtres commencent à définir la monstruosité, les choses peuvent aller très très loin. En effet, être nain pourrait être un trait péjoratif, quelque chose comme une tare. Et donc, cela devrait suffire, de dire de quelqu'un qu'il est nain Mais non, car on pourrait aussi ajouter un mot, à côté de *nain,* par exemple *métèque.* Et il peut y avoir mille manières d'être métèque, l'une d'entre elles étant d'être né à Melilla, au Maroc espagnol. Comme d'avoir une grosse tête, c'est mauvais et c'est insultant, mais il peut y avoir autre chose de mauvais et d'insultant, c'est d'être pharmacien. Donc cela va très loin. Et c'est pourquoi ce combat que je mène avec d'autres pour en finir avec la discrimination est un combat capital. Puisqu'il touche déjà les pharmaciens et les gens de Melilla, il peut toucher énormément de gens. Il s'agit pour moi de défendre cette forme d'existence contre laquelle les traîtres exercent leur discrimination, qui est la seule manière qu'ils connaissent d'écraser, de condamner définitivement. Et à l'heure du manque d'arguments, ils ne manquent jamais de se rabattre, en désespoir de cause, sur la folie et sur la monstruosité. Mais dire de quelqu'un qu'il est fou parce qu'il ne peut pas penser comme vous, alors ça, à mon avis, c'est vraiment monstrueux ! C'est même monstrueusement paranoïaque !

Et pourtant, et pourtant ! Dans le monde qui nous entoure, vous aurez observé, comme moi, combien la vie de ceux que les totalitaires appellent des monstres est facile, et pour commencer leur vie sentimentale. Comme ces monstres sont aptes à l'existence !

A. C. - Ce qui me semble digne de remarque, c'est ce désir de combattre pour les monstres avec si peu d'armes, voire sans armes du tout. Parce que, comme vous le dites vous-même, vous n'avez pas de langage propre à votre disposition, et vous vous trouvez obligé d'adopter le vocabulaire de vos adversaires.

F. A. - En réalité, puisque je fais partie des monstres, je le confesse avec beaucoup de fierté. Je suis comme un prince qu'on honore. C'est avec la même fierté que les Noirs revendiquent leur condition de nègres. Je montre des idées. Imaginez une seconde un hypocrite qui voudrait donner de lui une image intéressante. Et bien, moi je suis tout le contraire. Je cherche à défendre coûte que coûte les droits des minorités pensantes, surtout dans le moment où ces minorités n'ont aucune chance de gagner.

A. B. - Dès le début, dès vos premières pièces, vous avez représenté un monde de petits, d'humbles, de marginaux, qui n'ont peut-être pas de langage spécial, mais qui ont à coup sûr une façon originale et bien à eux de concevoir leurs relations entre eux ainsi que leurs relations vis-à-vis du reste du monde. Alors c'est là, à mon avis, que commence l'histoire des monstres. Ce n'est pas tant la monstruosité physique que vous décrivez — celle des nains — que le sentiment de monstruosité nourri (à tort ou à raison) par quelqu'un qui se sent différent et qui se tient de lui-même à l'écart. Je crois, finalement, que votre monde artistique a pris chair petit à petit, comme conséquence d'une vision antérieure. Et que les nains ne sont venus qu'après.

F. A. - Non. Ils étaient là depuis l'origine.

A. B. - Mais vous n'en parlez pas depuis l'origine !

F. A. - Mais bien sûr que si ! Dans *Viva la muerte*, je parle des enfants qui persécutent l'enfant en lui criant toutes sortes d'insultes (1).

A. B. - Bien, si l'on veut ! Mais dans les premières pièces ?

F. A. - Evidemment que je parle des nains ! Constamment !

A. B. - Et lesquels ?

F. A. - Tous les petits, qui luttent contre l'autorité établie, c'est-à-dire contre les grands.

A. B. - Je verrais plutôt là un repère symbolique !

F. A. - J'ai été très sensible à la répression qu'exerce l'autorité, c'est-à-dire à la facette à mes yeux la plus capitale du totalitarisme. Et en me révélant contre cette répression j'ai fait une œuvre beaucoup plus universelle que si j'avais simplement refusé le franquisme. Le franquisme, ce n'est qu'un accident de l'histoire, alors que l'oppression est partout. Mais dans mon histoire à moi, elle se manifeste depuis mon premier ouvrage publié, depuis *Baal-Babylone*. Il faut dire qu'en France je souffre beaucoup moins de tout cela. J'en suis beaucoup moins conscient. Je ne veux pas être prétentieux, mais enfin je mène une vie réglée, je crois, malgré les accusations de monstruosité portées contre moi par le totalitarisme. Mais je ressens en Espagne ce que je ressens aussi en Union Soviétique. Ce qui est typique de tout totalitarisme, c'est qu'il tente d'abord de culpabiliser, à l'intérieur, ceux qu'il veut perdre ensuite. Je m'explique. En France, il n'y a rien du tout qui puisse me faire croire, au jour le jour, que je suis un fou, un nain, ou un paranoïaque. Il n'y a jamais eu la moindre chose, du point de vue sentimental ou de tout autre point de vue, qui ait pu me faire craindre d'être un monstre. Mais lorsque récemment j'ai repris contact avec l'autoritarisme espagnol, à nouveau sont revenues ces accusations et ces méthodes d'intoxication spirituelle que je croyais oubliées. Dans ces dernières années, dans ces derniers mois, vous ne pouvez pas imaginer la quantité de fois où l'on est revenu à ces histoires de grosse tête. Le diamètre de ma tête, et la distance qui la sépare de mes pieds préoccupent fortement les fascistes, d'une manière que je n'ai jamais rencontrée en France.

A. B. - Mais alors, n'avez-vous jamais ressenti une discrimination s'exerçant contre vous parce que, là, vous étiez étranger ?

F. A. - Dans sa généralité, le problème serait très délicat ; mais dans mon cas particulier, je n'ai jamais de ma vie ressenti en France la moindre discrimination de ce genre dans les milieux de ma profession, ni dans le monde du spectacle, ni dans le monde universitaire. Alors que j'en ai souffert chez les totalitaires de tous les pays, qui forment une grande Internationale.

A. C. - Pour nous en tenir plus strictement à votre œuvre écrite, comment traitez-vous ces trois thèmes qui sont très voisins : la discrimination, l'intolérance et la monstruosité ?

F. A. - Toujours de la même manière, par l'humour, de préférence. Mais il m'arrive aussi de les traiter par la révolte, ou par les pleurs. Il y a une sorte d'énorme tristesse qui accable la victime de l'intolérance. Cet homme jeune, qu'on trouve dans la plupart de mes pièces, et qui est comme les autres, ou qui s'imaginait être comme les autres, s'aperçoit tout d'un coup qu'il y a en lui quelque chose qui le différencie à jamais, et contre quoi il ne peut strictement rien. Alors il se sent investi d'une tâche messianique, qui se manifeste à lui plutôt qu'à d'autres parce qu'il porte en lui toute la tristesse de la terre. Et c'est irrémédiable. Que peut-on faire contre le fait d'être né à Melilla, ou bien d'avoir une tête de pharmacien ? Il en résulte pour cet homme jeune l'appartenance à une certaine noblesse, à l'aristocratie de la douleur.

A. C. - Vous parliez tout à l'heure d'humour...

F. A. - L'humour, dans cette histoire, c'est que l'intolérance aux monstres est tout à fait démodée. Voyez comme en Amérique les enfants sont élevés à aimer les monstres, les vrais monstres, depuis qu'ils sont tout petits, grâce notamment aux émissions de télévision, où les monstres jouent un rôle à la fois récréatif — les archétypes de Frankestein et de Dracula en sont un bon exemple — et éducatif. J'espère que d'ici quelques années la mentalité générale en sera changée. Mes interlocuteurs se trouvent parfois très bêtes. Lorsqu'ils ne cessent de me demander : « Et les nains ? Pourquoi des nains dans *L'arbre de Guernica* ? ». Je leur lance ma réponse : « Et pourquoi pas les nains ? ». C'est à mon sens la meilleure manière qui soit à ma disposition pour leur mettre le nez dans leur caca de curieux et d'intolérants. Luce, ma femme, aime souligner que, dans mes pièces et dans mes films, je fais voir des choses qu'on ne fait pas voir ailleurs — je veux dire dans les pièces et dans les films des autres, parce que, dans nos vies, ces choses-là existent : manger, boire, baiser, faire caca, mourir aussi. Mais peut-être bien que, parallèlement, j'y montre également tout ce que les gens voudraient ne pas voir, l'étalage des monstruosités, le drame des nains et des infirmes. Il fut un temps où il était absolument évident que ces êtres-là, on ne voulait absolument pas en entendre parler, puisqu'à ce moment-là le théâtre était réservé. Les personnages de théâtre, c'étaient la noblesse, ou la grande bourgeoisie. Puis, au fur et à mesure que le temps passait, ce fut la petite bourgeoisie, et enfin on commença à voir apparaître des ouvriers dans les pièces, mais pas le *lumpen-prolétariat*. Or, c'est précisément ce *lumpen-prolétariat* qui m'intéresse le plus. Par là j'entends aussi le *lumpen-prolétariat* spirituel.

A. B. - N'est-ce pas réutiliser un peu de l'imagerie de Valle Inclan, dont la poésie réaliste est souvent d'inspiration violente, et qui meurt en 1936, c'est-à-dire qu'il ne serait pas impossible de le considérer comme l'un de vos modèles les plus proches de vous dans le temps ?

F. A. - Non, non, pas du tout. Valle Inclan parle bien du *lumpen-prolétariat,* mais sans participer lui-même à ses souffrances. Il est de l'autre côté de la barrière. Ce qui m'a toujours chagriné, c'est que je porte en Espagne le poids de Valle Inclan. Parce que Valle Inclan était un homme très fort physiquement. Il était capable d'agression, ce qui m'est interdit. Je me refuse à l'agression physique. Mais lui il était tout à fait capable de se rendre à une première de théâtre pour y crier et y faire du scandale.

A. C. - Arrabal, ici je ne vous suis plus. Votre théâtre à vous n'est rien d'autre qu'une gigantesque agression.

F. A. - Vous n'y êtes pas ! Sur le plan littéraire — pas sur le plan physique, mais sur le plan littéraire — je suis effectivement capable d'une agression, brutale, bestiale, contre celui qui s'est comporté en totalitaire et en agresseur. Mais ce n'est qu'une réponse. Définissez, si vous y tenez, mon théâtre comme une réponse à des attaques antérieures. Mais la vérité est, qu'en soi, il n'est pas agressif le moins du monde. On m'attaque, je riposte, c'est tout. Et alors là, pas de quartier !

A. C. - D'autres que moi parleraient d'un tempérament belliqueux...

F. A. - Ce qui me différencie de l'agresseur totalitaire, c'est que jamais je ne répondrai à l'attaque d'un faible. Mais à celle d'un homme puissant, qui tient entre ses mains le pouvoir d'écraser, je réponds immédiatement, parce qu'un tel homme devient alors l'image du mal pour moi. Valle Inclan ne faisait pas cette distinction, et cela le sépare et le met très loin de moi. Par exemple, il n'hésite pas à dire à Rosalia del Castro : « Moi, je dépense des *pesetas* dans un bordel, mais je ne me fendrais pas d'un liard pour coucher avec vous ». Ou des choses comme cela, des allusions quotidiennes, provocantes, insultantes, contre Etchepare qui était mort, par exemple. Si bien que le monde de Valle Inclan ne correspond pas du tout au mien.

Si vous me dites qu'à un moment donné il y a un monstre dans son œuvre, et qu'il prend parti pour le monstre, je répondrai qu'en réalité le monstre n'est pas bien accepté du tout.

A. C. - Qu'est-ce à dire ?

F. A. - Chez Valle Inclan, le monstre est traité à l'espagnole. Méchamment ! Comme un objet de curiosité ! monstre-objet. Alors que le monstre il est là, il a son âme et son corps. Valle Inclan n'a jamais pris en considération l'affectivité de ce monstre. Et pourtant voilà un personnage dont moi j'aurais tant aimé qu'il gagne, qu'il soit le lion, qu'il soit le roi, qu'il soit le Christ ! C'est ce que j'en aurais fait, dans une pièce à moi.

A. B. - Vous représentez pour les totalitaires un danger énorme. Vous devenez pour eux un ennemi, et leurs attaques sont on ne peut plus normales, à la fois contre vous et contre l'organisation du monde que vous proposez. Dans votre univers, il n'y a en effet plus de place pour leurs concepts, comme ceux de la sélection physique d'après des critères raciaux ou esthétiques, et de la sélection morale d'après les qualités de chacun.

F. A. - Je vous l'ai déjà dit, ces attaques son tout à mon honneur. Mais attendez. Lorsque je leur réplique, c'est avec d'autres armes que les leurs. Eux, ils m'attaquent comme monstre, c'est-à-dire non dans mon pouvoir, mais dans ma faiblesse, contre laquelle je ne puis rien. J'ai été condamné à la naissance, et rangé malgré moi dans cette catégorie des monstres. J'aurais de la considération pour mon adversaire si c'était un autre monstre. Mais qui m'attaque ? Ceux-là même qui font les lois, qui définissent les normes et qui veulent m'anéantir parce que je ne suis pas une copie conforme. A ce moment-là, je réponds à leur agression de la manière la plus imparable qui soit : je leur signale ce qu'ils sont. Je ne les attaque pas dans leur faiblesse, je leur signale leurs crimes, avec la possibilité immédiate pour eux d'y voir clair et de se racheter. Je leur dis : « Vous faites partie de la nouvelle inquisition ». Alors qu'ils s'en prennent à ma faiblesse qui est définitive (que je sois tête grosse, que je sois petit ou que je sois fou, ce sont là des cadeaux de Dieu ou de la nature, et je n'y peux rien changer), je leur donne à eux la possibilité de s'améliorer en changeant de comportement, car rien n'est plus facile que de quitter les rangs de la nouvelle inquisition si on le désire. C'est pourquoi je demeure *fair play*, malgré toute l'inimitié que je nourris à l'encontre de ces inquisiteurs. L'un d'eux, par exemple, s'en est pris à moi récemment et, en réponse, on m'avait mis dans la bouche certaines expressions laissant croire que j'attaquais son œuvre artistique. Alors, quand j'ai appris cela, malgré la haine que j'ai pour cet individu, je me suis écrié : « Non, non, je ne critique pas son monde artistique. Je ne veux porter le combat que sur un terrain où il puisse se racheter. Comme artiste il ne peut pas se racheter ; il est ce qu'il est. Mais là où il peut changer, c'est en cessant d'être un inquisiteur. Je lui donne cette chance ». Voilà un duel où j'agis avec toute l'élégance. Les totalitaires agissent évidemment tout au contraire. Et au moment de répondre à mes attaques, les totalitaires espagnols ne me donneront aucune chance. Ils s'entêteront à dire que je suis fou, que je suis petit, que je suis frustré, que c'est mon origine et parce que je suis né à l'étranger, enfin des choses qui sont dès le départ impossibles à modifier. On ne me reconnaît pas le droit à la particularité, dans ce qu'elle a de plus physique et de plus essentiel. Et c'est pour cela que, de nouveau, je crie à la trahison. A mes yeux, ces totalitaires sont des traîtres. Mais ils peuvent se racheter du jour au lendemain. Je ne les condamne pas pour l'éternité.

A. C. - Transposons sur le plan de l'art : vous avez réussi à l'y défendre avec beaucoup de brio, cette particularité. C'est une belle victoire que vous avez remportée là, non ?

F. A. - Non, ce n'est pas une victoire, c'est plutôt, comme je le disais tout à l'heure, une donnée de fait : dans le monde libre, ceux que les totalitaires considèrent comme des monstres sont de mieux en mieux acceptés. Et ces monstres, on leur fait de plus en plus la vie facile. On commence à lever la malédiction qui pesait sur eux. Il y a certaines expressions, par exemple, qu'on rencontrait il y a quelques années dans certains journaux français qu'on ne pourrait plus rencontrer maintenant, car on a de nos jours davantage de respect pour ces hommes et ces femmes qui sont différents. Et c'est là tout le sens du monde, qui n'est pas à l'uniformisation, ou au nationalisme, mais au brassage. L'artiste représente ce monde qui va venir, dans lequel une personne donnée naît à Milan, vit en Irak et va mourir au Brésil. Ça c'est le monde. Alors, rester braqué comme ça sur les origines des gens, c'est plus que démodé ! C'est une manière de voir, mais elle ne correspond plus en rien à l'univers dans lequel nous vivons, et encore moins à celui de demain.

A. C. - Il viendra donc un jour où ces monstres que vous aimez n'auront plus besoin d'interprète. Et alors que deviendra Arrabal ? Le fil de votre inspiration sera coupé.

F. A. - Non, pas du tout. Les monstres seront toujours là, avec leur âme à vif. Et puis, il suffit de regarder la carte du monde : il y a encore très peu de pays libres. Et dans les autres pays, on continue d'opprimer les monstres. De toutes façons, je passe mon temps à me dire, chaque fois qu'il me semble que la liberté a fait un grand pas : « Ça y est. Je débouche dans un monde nouveau. Maintenant ça sera fini ! » Mais non ! Je continue d'exciter les passions. Vous me présentiez hier soir le cas formidable de cet écrivain espagnol, qui vous semblait être arrivé à une sorte de sagesse parce qu'il avait fini, à force de prudence, à force de cacher son jeu, par mettre tous les rieurs de son côté. Mais pour moi cet écrivain n'a pas rempli la mission qui incombe normalement à tout artiste. Cette mission de l'artiste, c'est au contraire de mettre tous les rieurs *contre* lui !

A. C. - C'est bien pourquoi j'ai ouvert ces entretiens sur le mot de *provocation*.

F.A. - Mais ce n'est pas de la provocation ! C'est simplement une manière d'aller à contre-courant. Ou alors, c'est de la provocation comme la faisait Saint François d'Assise. Il provoquait les gens parce qu'il aimait les animaux à une époque où on les détestait. Mais quelle formidable mission, d'être différent, d'aller à contre-courant, et quelle actualité ! Quelle audacieuse manière de penser ! La preuve que je ne suis pas un écrivain « accompli », comme on dit en France, ou « achevé », comme on dit en Espagne — c'est-à-dire la preuve que je ne suis pas un écrivain mort —, c'est justement la passion que je continue à susciter.

A. C. - Dans ces conditions, vous devez vous considérer vous-même comme un écrivain de combat.

F. A. - Non, non pas du tout ! Je n'ai jamais fait rien d'autre que de manifester mes propres émotions. Mon œuvre est purement artistique. Elle repose tout entière sur ces grands mouvements de l'âme que nous n'avons cessé de décrire depuis le début de ces entretiens, c'est-à-dire cette puissante émotion qui m'envahit devant la trahison, et cette autre, tout aussi puissante, que fait naître toute tentative de discrimination. Mais je me refuse à me voir comme un combattant. Je suis plutôt un informateur. Et je voudrais être un informateur inattendu.

(1) Pour merveilleuse qu'elle soit, cette formule des «enfants qui persécutent l'enfant » risque de paraître obscure. Il s'agit, dans le film, d'une séquence montrant les jeux des enfants à la sortie de l'école. Ils pourchassent l'enfant héros du film — image d'Arrabal lui-même, auquel il ressemble physiquement de façon étonnante — et le traitent de monstre et d'indésirable.

A. C.

Arrabal décapitant Narcisse
Arnaïz, 1964

Anatomie expliquée d'Arrabal

Troisième entretien :

UN ART POÉTIQUE DE L'ESPOIR POUR L'ESPOIR

A. C. - Vous nous disiez, Arrabal, que vous aimiez vous voir sous les traits d'un témoin — d'un témoin inattendu — plutôt que sous ceux d'un guerrier.

F. A. - Inattendu et surtout très ému. Je me suis rendu compte que j'avais une capacité d'émotion supérieure à la normale. Il y a beaucoup de choses qui m'émeuvent aux larmes. Faudrait-il dire qu'il y a du mélodrame dans mon cas ? Le fait est, en tout, que nos origines bibliques, à nous autres Espagnols, pourraient facilement nous conduire de ce côté-là. Nous avons le choix entre le mélodrame génial et le mélodrame malin, dans le sens de diabolique.

A. C. - Nous venons d'esquisser, à très grands traits, une sorte de grammaire générative de votre œuvre. Venons-en maintenant au signifiant, au rendu de vos émotions pour les lecteurs que nous sommes. Vous avez une conscience très aiguë de votre différence par rapport à autrui. Avez-vous conscience de traduire cette différence dans un style spécial, qui vous serait hautement particulier ?

F. A. - Non, pas vraiment. Mais à chaque fois j'ai pensé qu'il y avait des choses que je devais faire, et d'autres que je ne devais pas faire. Cela a été considéré comme un

33

style par une partie de la critique, mais je ne suis pas conscient de ce style. Ce dont j'ai conscience, c'est de la différence de mes états d'esprit selon le moment considéré. Il m'est arrivé par exemple de trouver mal écrit tout texte où la phrase était un peu longue et un peu travaillée. Cela me semblait le comble du mauvais goût et de la rhétorique. Je cherchais dans ces moments-là à faire des phrases courtes, très simples, très directes, condensées. Tout le travail était d'élaguer. C'est d'ailleurs un de mes problèmes permanents. Mais il y a eu aussi d'autres périodes où, au contraire, je subissais très fortement l'influence de Gongora et la fascination du baroque, de la littérature du siècle d'or espagnol. Et à ces moments-là, j'essayais d'ajouter, d'orner. Mais je ne sais pas de quoi demain sera fait. Je n'ai pas de doctrine stylistique à proprement parler.

A. B. - Est-ce qu'il y a un trait particulier, au moins, qui pourrait nous permettre de définir clairement le genre théâtral tel que vous le concevez, tel que vous le pratiquez ?

F. A. - Chaque fois que j'écris une pièce, je subis l'influence d'une émotion bien précise, créée par les circonstances, et j'ai cette émotion à montrer.

A. C. - Comment faites-vous pour la conserver pendant tout le temps de l'écriture ?

F. A. - C'est pour cela que mes grandes pièces sont des pièces brèves. Brèves dans le temps de création.

A. B. - Finalement, on vous parle style et vous revenez sans cesse au thème, au contenu, qui semble bien être de loin votre préoccupation majeure. Alors, de ce point de vue, quelle différence faites-vous, en tant qu'écrivain, entre un thème qu'il vaudra mieux exploiter dans un roman et un thème théâtral ? Comment les distinguer l'un de l'autre ?

F. A. - Je vous répondrai par une image. Dans mes romans, il n'y a pas à la base ce désir de montrer quelque chose. A la base, je suis dans le bateau, au fil du fleuve, et là je me laisse emporter, bien tranquille dans mon lit, dans mon canot pneumatique. Le bateau suit la rivière, sans se presser, et pendant qu'on se promène ainsi, il y a mille choses à voir, qui se passent sur les rives du fleuve. Dans les pièces au contraire, la nécessité de faire participer directement à une émotion forte oblige à concentrer l'action, à pilonner la sensibilité du public, par l'agression des bruits, du mouvement, etc... Tandis que dans le roman, ça va tout doucement, on coule avec le fleuve.

A. B. - Avez-vous des sujets de pièce particulières, des thèmes préférés ?

F. A. - Ce qui me surprend, c'est ce que disent les gens. Ils viennent me voir, ou bien ils m'écrivent et me disent : « Arrabal, voilà un sujet en or pour vous ! » Et la plupart du temps, ce n'est pas du tout un sujet en or pour moi, c'est un sujet qui ne m'excite pas. Il ne répond à rien de personnel, voyez-vous. Je crois que la seule fois où j'ai marché à une indication de cet ordre, c'est lorsque j'ai commencé à écrire, tout récemment, une pièce qui en ce moment même est encore en gestation, et qui s'appellera peut-être, en espagnol, *Une pucelle pour les gorilles.* En français, c'est un titre à éviter, qui fait un peu trop *King-Kong.* Il vaudrait mieux quelque chose d'autre, comme *Le jardin du lion.* Il s'agit d'une antithèse : le lion, c'est le lion anglais, et le jardin, c'est toujours le même, le jardin de la sagesse, le jardin de la connaissance. Le sujet est tiré de la vie réelle, puisque je le tiens de la bouche même de la mère de l'héroïne de la pièce. Cette femme est venue me trouver un jour, d'une manière très poétique, très surréaliste, mais très précise, pour me confier ce qu'elle croyait avoir appris au sujet d'une superpuissance, en l'occurrence l'Angleterre, qu'elle appelait l'Intelligence Service (ça, c'était les gorilles). Et sa fille était la pucelle destinée à ces gorilles. Mais vous verrez cela dans la pièce si je me décide à la publier.

A. C. - Ce qui est très curieux, c'est que vous ayez travaillé sur une anecdote qui, si surprenante qu'elle soit, est quand même tirée du monde réel. A entendre le sujet, j'aurais plutôt pensé que vous vous inspiriez d'un archétype. Celui du gorille est bien connu. Jung en parle très longuement dans son livre *Psychologie et alchimie.*

F. A. - Non, je ne travaille pas sur des notions philosophiques, et, tout dernièrement, je me suis mis à écrire des pièces qui se fondent sur des faits réels. *Jeunes barbares d'aujourd'hui* m'a été suggérée par une lecture que j'ai faite dans le journal sportif *L'équipe.* Si on remonte un peu plus haut dans le temps, une pièce comme *Le ciel et la merde* transpose les comptes-rendus des témoignages de la famille Manson. Mais il s'y mêle aussi des souvenirs de Dostoïevsky. De même, *La ballade du train fantôme* est née d'un voyage que j'ai réellement effectué dans le Nouveau Mexique, et de la profonde émotion que j'y ai ressentie en visitant la ville morte de Madrid. C'est la ville dont il est question dans la pièce, mais on ne peut évidemment pas s'empêcher de penser en même temps à la capitale de l'Espagne qui porte le même nom.

A. C. - Et dans le cas d'un titre aussi mythique que *La tour de Babel ?*

F. A. - Non, vous avez raison, il n'y a pas eu là tentative de ma part pour reproduire un fait réel. L'intention était purement artistique. Je voulais m'emparer de matériaux traditionnellement méprisés un peu par tout le monde, à savoir des lieux communs épiques et lyriques qui traînent dans les traditions culturelles de n'importe quel peuple, et m'en servir pour planter la figure d'une femme don quichottesque, qui ne peut s'exprimer qu'à travers ces lieux communs, alors que ses objectifs devraient apparaître comme plutôt nobles à la majorité des spectateurs. C'est une fois de plus la mise en œuvre de la devise panique, de prendre des matériaux considérés comme méprisables et de les élever à la dignité de l'art. Et en même temps, parallèlement ou vice-versa, prendre l'art pour le réduire à rien.

A. C. - Ces pièces que je désigne du terme de pièces nouvelle manière, comme *La ballade du train fantôme* ou *La tour de Babel* me semblent différer de votre manière primitive par la disparition d'une ambiguïté notable. Dans les premières pièces, le personnage favori, celui que vous appeliez tout-à-l'heure « votre » personnage, a toujours l'air de perdre, puisqu'il meurt, ou qu'il voit disparaître ses raisons de vivre, et que de toute façon le spectateur quitte le théâtre en étant empli de crainte.

F. A. - Oui, il a l'air de perdre, mais en réalité, et sur d'autres plans, il gagne. Déjà dans les premières pièces !

A. C. - Mais bien plus encore dans les pièces nouvelles, où il est bien évident que le personnage favori se met très visiblement à gagner. La pièce se termine en apothéose. Il s'est produit une sorte de miracle, de transfiguration.

F. A. - Oui, j'aime beaucoup cela. C'est un finale heureux. Je lui ai donné un nom, celui de l'espoir pour l'espoir. Le spectateur commence par avoir l'impression que la pièce l'emmène à la catastrophe, et subitement, coup de chapeau extraordinaire du prestidigitateur, paf ! voici qu'il se produit un retournement merveilleux qui change complètement les perspectives. Mais alors, attention. Je ne suis pas d'accord avec vous quand vous dites que l'ambiguïté disparaît de mes productions récentes. Ou alors, il faudrait les accepter dans une vision assez naïve, en prenant le texte au pied de la lettre. Remarquez que c'est ce qui arrive quand on est fasciné par le prestidigitateur. Mais je m'attendrais plutôt à davantage de méfiance de la part du spectateur. Car le retournement est si excessif que je veux qu'il le prenne à sa guise, et que je le rends libre d'y croire ou de ne pas y croire !

Enfin, imaginez un peu ce qui se passe dans *La tour*

de Babel. A prendre le texte au pied de la lettre, tout marche comme sur des roulettes, les personnages se transfigurent, le bien triomphe, la tour de Babel se reconstruit dans l'euphorie. Mais d'un autre côté, tout dans ce même texte nous laisse entendre au contraire qu'il y a la rapine, l'esprit de lucre, que tout le monde est sale, que les personnages sont débordés. Et à la fin, il y a l'espoir pour l'espoir, et ça y est, c'est fini, dans la plus grande beauté. Mais moi je veux qu'à ce moment-là le spectateur — ou le lecteur — s'interroge et se dise : « Mais enfin qu'est-ce qui se passe ? Est-ce que ce que je vois en cet instant sur la scène est réel — je parle de la réalité au second degré, bien sûr, de la réalité du théâtre — ou bien est-ce que j'assiste à un rêve de cette femme don quichottesque ? Est-ce que je suis entré, je ne sais comment, dans son imaginaire, dans son monde spirituel ? Auquel cas l'ambiguïté est totale, car cette femme semble gagner, alors qu'elle perd ». Ou l'inverse, selon le point de vue et le code moral de chaque spectateur. Voyez, je n'ai pas changé, c'est toujours la même chose.

A. C. - Il me semble que vous apportez là un éclaircissement très important.

F. A. - J'aime que chaque spectateur interprète la pièce à sa manière. En faisant cela, il devient créateur à son tour, développe sa propre inspiration, ou sa propre folie et lui laisse le champ libre. A un moment donné, nous avions essayé, mes acteurs et moi, de provoquer systématiquement cette sorte de délire d'invention, dans les *happenings* qui suivaient les représentations des *Menottes...* au Théâtre de l'Épée de bois, à Paris. Et ça n'a pas marché ! Les *happenings* se déroulaient ainsi. Une fois la pièce finie, on demandait à ceux des spectateurs qui le voulaient bien de rester dans la salle, avec les acteurs. Puis on leur distribuait des cagoules en papier qu'ils se mettaient sur la tête, on les faisait monter sur la scène et on les faisait jouer. C'est-à-dire qu'on leur donnait, par hauts-parleurs et par porte-voix, des indications à suivre. C'était des ordres très insolites, dont nous imaginions qu'ils feraient naître des réactions et des émotions très personnelles, très intimes, comme : « Fouettez-vous, embrassez-vous, racontez vos rêves, etc... » Tout allait très bien pendant les dix premières minutes de cette cérémonie finale, c'est-à-dire que les spectateurs en cagoule suivaient méticuleusement nos ordres. Nous, nous espérions toujours qu'une fois cette mise en train terminée, ils finiraient par vouloir se débarrasser de leur drame personnel et qu'ils se mettraient à le jouer devant tout le monde, n'en pouvant plus, poussés par leurs obsessions profondes. Et bien, rien de tout cela n'arrivait. Le *happening* ne débouchait jamais sur l'improvisation espérée. Lorsqu'à la fin de ces dix premières minutes on disait aux assistants : « Voilà, vous êtes rodés maintenant, voilà venu le moment de jouer et d'agir par vous-mêmes », ils continuaient à attendre des ordres, ils restaient comme ça, plantés sur la scène, avec leurs cagoules sur la tête. Et bien sûr, cet ordre qu'ils attendaient ne leur arrivait pas. Alors, à la fin, ce qui se passait presque toujours, c'est qu'à force certains commençaient à s'impatienter et enlevaient leurs cagoules. Les autres les imitaient petit à petit, puis, à un moment donné, tout le monde applaudissait. Le spectacle était fini. Rideau. *Finita la commedia.* Sans que les gens aient rien compris !

A. C. - Est-ce que ces *happenings* étaient liés à des recherches contemporaines de nature, disons, plus scientifiques, comme les recherches sur la thérapie de groupe ?

F. A. - Non, jamais de la vie ! Car si j'avais pu penser une seule seconde que cela pouvait déboucher sur quelque chose de semblable, je n'aurais jamais pris ce risque ! Je n'aurais même pas fait l'expérience, car je ne veux pas jouer avec le feu. Non, ce que j'aime, ce que j'essaye de faire, c'est de pousser le spectateur à vivre intensément.

C'est pourquoi — mais là attention ! il faut prendre les mots dans le bon sens du terme — j'utilise un certain nombre de techniques qui au premier abord peuvent sembler brutales, provocantes ou agressives. Et d'ailleurs, moi aussi, je suis à l'intérieur de ces techniques, puisque je vis moi aussi le *happening*. Je participe en tant que créateur à cette aventure intense que je provoque. Je ne suis pas maître du jeu du tout, je ne suis pas distancié, au contraire, je suis en pleine aventure. Je frémis trop pour porter un masque, que ce soit celui du maître de cérémonie, ou celui du metteur en scène qui organise, ou celui de l'écrivain qui dispose ses personnages. Au théâtre, j'ai toujours vécu de façon très intense, personnellement. Alors, le jeu des ambiguïtés, la technique du finale à interpréter, de l'espoir pour l'espoir, ce sont des procédés, des ficelles du métier, pour voir si les spectateurs suivront, s'ils iront jusqu'au bout de mon émotion, ou de leur émotion.

Nota. Il manque ici une bobine entière d'enregistrement. Quand nous nous sommes aperçus — trop tard — de cette déficience du magnétophone (la bobine enregistrée ne put jamais être repassée dans l'autre sens), nous sommes restés quelque temps avec le sentiment de l'irréparable, Arrabal n'arrivant pas à retrouver exactement ce qu'il avait dit pour le répéter dans les mêmes termes. Si bien que j'ai cru nécessaire, pour le relancer, de revenir quelque peu en arrière, en retournant aux réflexions sur le thème de la monstruosité.

A.C.

Arrabal montre à Arrabal géant l'arbre Arrabal observé par Arrabal roc
Crespo, 1965

Arrabal dans la nuit des singes-papillons rêve de paternité
Felez, 1967

Quatrième entretien :

ARRABAL, ÉCRIVAIN AUTHENTIQUE

A. C. - Revenons donc en arrière. Vous nous avez parlé de façon très générale de ces attaques lancées contre votre faiblesse. Quand est-ce que, d'une manière plus précise, ces attaques se sont produites pour la première fois ?

F. A. - Ces attaques ne sont pas un mythe, et j'en ai réellement souffert. Les toutes premières d'entre elles étaient antérieures à mon œuvre. J'étais alors en Espagne, et c'étaient des attaques, je dirais, supportables parce qu'en Espagne tout cela paraissait naturel. On pensait que c'était une chose normale que de s'en prendre ainsi à ceux que leur caractère marginal mettait un peu à l'écart. En France, j'ai connu une autre série d'attaques, postérieures cette fois-ci à mon œuvre publiée, postérieures du moins à mes premières pièces et à mes premiers romans. Et ces attaques étaient tout à fait d'un autre ordre. Le débat se plaçait ailleurs. Il n'a plus été question de mon aspect physique, sauf peut-être, de façon allusive, dans *Minute* à certains moments, mais, à part cela, rien ! Et j'avais oublié tout cela, mais alors, complètement ! Mais il y a eu comme un rappel de cette situation tout récemment, à cause de l'impact que mon œuvre a maintenant en Espagne, et de l'accueil qu'elle y a reçu. J'avais oublié parce que, depuis des années, il ne venait plus à l'idée de personne de me dire : « Tiens, vous avez la tête trop grosse ! » Et puis, quand j'ai eu connaissance des réactions espagnoles à mon œuvre ces derniers temps, alors, à nouveau, je me suis rendu compte, et je me suis dit : « Allons, c'est vrai, il y avait encore ça ! » Je l'avais oublié pendant vingt ans. Mais, à dire vrai, il y a là comme un désir de me donner une renaissance (je veux dire une nouvelle naissance, et en tant qu'écrivain) puisque c'est sur cela que je prends appui.

A. C. - N'en résulte-t-il pas chez vous, et pas seulement chez l'écrivain, un sentiment de malaise ?

F. A. - Il est certain que je ne suis pas très à l'aise dans ma peau. Je me suis toujours considéré comme le vilain petit canard du conte d'Andersen. Pour les canards, il était laid, il était un monstre. En réalité, c'était un cygne. Je me suis considéré tout d'abord comme une exception sur le plan physique. Puis il me devint évident que sur le plan artistique aussi j'étais exceptionnel, puisque tous les artistes sont, pour ainsi dire par définition, des êtres d'exception. Je me disais que cette exceptionnalité pouvait choquer, mais qu'elle devait être réservée à des esprits très libres, très raffinés. Et que la vraie beauté, c'était le contraste qui se trouvait entre ces deux exceptionnalités, celle du corps, et celle de l'esprit.

A. C. - Si bien que vous continuez à prendre constamment le risque de vous montrer plus laid que nature ?

F. A. - Je parle de ce que disent les autres, mais je ne participe pas à ce qu'ils disent. J'appartiens au monde des monstres, mais ce n'est pour moi, au fond, qu'une manière de parler.

A. C. - Et pourtant... vous avez mis en scène, il y a longtemps, dans *Le grand cérémonial,* ce personnage de Cavanosa, qui est comme un double monstrueux du grand Casanova, dont le nom se trouve déformé exprès.

F. A. - Ah, c'est un peu plus compliqué que ça. Je ne

tiens pas Cavanosa pour un monstre. Je le vois au contraire sous les traits d'un personnage très attirant, aussi séduisant à sa manière, aussi Don Juan que l'autre. Voyez donc le *Casanova* de Fellini. Le cinéaste a pris un autre chemin que moi, mais il arrive aux mêmes conclusions. Il nous a montré un héros très beau physiquement, très séduisant, etc... pour nous faire comprendre que c'était un personnage vain et frivole, sans profondeur aucune, et qu'il ne pouvait séduire personne. Alors, j'ai fait la démarche opposée. J'ai choisi l'homme qui pouvait séduire par sa faiblesse (sa faiblesse par rapport aux données du monde). Et pour moi, c'est la seule possibilité d'être un Don Juan. A supposer que ce personnage existe, qu'il ne soit pas aussi fabuleux que l'Atlantide, ce ne peut être, à mon sens, qu'un homme qui a tant de faiblesse (par rapport au monde) qu'il inspire un amour inconsidéré, bestial, d'une fidélité inconditionnelle. On s'attachera à lui d'une manière extraordinaire, parce qu'on ne peut pas s'attacher à un homme normal et beau, car ça c'est sans intérêt, c'est très banal ; voyez le Casanova de Fellini que personne n'aime véritablement. Au contraire, ce sentiment d'attachement que ressentent pour mon Cavanosa les femmes qui sont dans ma pièce, tout le monde l'a. La femme l'a surtout au premier abord. La femme est très complice dans mon œuvre, puisqu'elle a participé, surtout dans mon enfance, au monde des gens inférieurs. La femme aussi faisait partie des canards laids.

A. B. - Justement, dans le conte du vilain petit canard, la mère a une faiblesse pour ce petit canard, parce que les autres sont contre lui. Alors la mère compense.

F. A. - Oui, mais cela dépend des mères. Il n'y a pas de comportement standard. Cela dépend de la mère. Il y a des mères qui ont honte, qui refusent le petit canard laid. Il y a au contraire des mères qui l'acceptent et qui le choient. Vous savez que ma sœur est médecin, et que j'ai des amis pédiatres spécialisés dans le comportement des nourrissons. Alors, quand dans une famille arrive un monstre, on trouve les deux sortes de réactions. Ou bien c'est une passion folle, les parents veulent absolument que cet être continue à vivre, malgré ses déficiences, et parfois contre l'avis du médecin, qui prévoit que le monstre ne vivra pas et qui voudrait abréger ses souffrances. Ou bien on constate un repli, les parents ne veulent plus savoir qui c'est. J'ai même assisté chez ma sœur à l'autopsie d'un bébé qui n'avait pas survécu à sa monstruosité. Et à la fin, les médecins espagnols ont demandé à ma sœur : « Est-ce que les parents... ? » Non non, les parents le refusaient. Alors, les chirurgiens ont répondu : « Et bien, on va disposer du cadavre comme d'habitude dans ces cas-là ». Il y avait là un autre cadavre, celui d'un homme d'une soixantaine d'années. Ils lui ouvert le ventre et ils ont caché l'enfant dedans. Pour se débarrasser du petit monstre, pour ne pas avoir à l'enterrer, pour s'épargner les paperasses et les formalités dont la famille ne voulait pas. Cela est permis par une particularité de la loi espagnole, qui attend vingt-quatre heures avant de tenir un enfant pour né. Dans ce cas-là, l'enfant n'était pas né, les parents le refusaient. Imaginez que, dans dix mille ans d'ici, des biologistes, des chercheurs, retrouvent cette tombe et y découvrent cet homme de soixante ans avec, dans son ventre, un bébé monstrueux. Qu'iraient-ils penser ?

A. C. - Ne serait-ce pas là un de ces sujets de pièce en or... ?

F. A. - Un sujet curieux, oui. Donc, je disais qu'on peut trouver les deux sortes de réactions. Si la mère du monstre est une mère de qualité, elle va choisir le monstre. Si c'est une mère qui a peur du qu'en-dira-t-on, elle va le refuser et elle ne voudra plus en entendre parler.

Dans ma famille, où, comme dans toutes les familles, il y a eu des mariages dostoïevskyens, kafkaïens, etc..., il est effectivement né un monstre, que je n'ai pas connu, la tante Julia. Et paraît-il que c'était l'adoration du monstre — enfin, de cet être qui était différent des autres — Le grand-père, la grand-mère l'adoraient, cette tante Julia, qui était légendaire dans la famille, la sœur de ma mère et de mes tantes. Elle était choyée à n'en plus finir. Mais parallèlement, on l'a enfermée, on l'a mise en prison. En prison dans la maison. La famille en avait honte, et ne voulait pas que les gens voient ce qu'elle était. C'était un comportement normal, mais ce n'était pas le seul possible, puisque, parallèlement, j'ai vu le cas opposé. J'étais en Espagne et, dans la maison que j'ai habitée à une certaine époque — je ne sais pas si la chose est courante aussi en France — il y avait des fous. Ou plus exactement des filles folles. Et là c'était le contraire. Ces pauvres filles étaient exhibées avec complaisance et, visiblement, leurs familles ne les aimaient pas beaucoup. Une de ces folles était très méchante, elle faisait du scandale, et on la battait comme plâtre. Ce qui n'empêchait pas de l'exhiber, tout tranquillement.

A. B. - Il y aurait donc une relation constante entre montrer et ne pas aimer d'une part ; cacher et aimer d'autre part. En d'autres termes, l'amour demeure craintif et secret.

F. A. - Oui, dans ces deux cas que j'ai cités. Mais il y a encore d'autres possibilités, parce que je vois des gens qui, au contraire, aiment le monstre et l'exhibent en même temps. C'est le cas de la femme qui aime un être semblable à Cavanosa. Elle est fière de se promener au bras d'un être différent des autres.

A. C. - En irait-il de même, à vos yeux, avec Zénon, l'homme-singe du *Jardin des Délices* ?

F. A. - Vous savez, j'ai gardé très peu de souvenirs de cette pièce, qui, maintenant, me pose un problème très grave. Il se trouve qu'il y a des producteurs qui veulent la mettre en scène à nouveau, d'autres qui aimeraient en tirer un film. Tous me demandent d'urgence de relire la pièce, d'en tirer une adaptation cinématographique, etc... Or je ne peux plus supporter cette pièce, je ne veux plus la voir, je la refuse. C'est une forme de refus, mais je ne sais pas pourquoi.

A. C. - Ainsi se confirme le fait, que vous avez souvent affirmé, que vous êtes un écrivain du premier jet. Mais, puisque nous arrivons ici à une impasse, je voudrais que nous abandonnions ce sujet, et que nous reprenions notre fil. Vous êtes passé très rapidement sur ces premières attaques, antérieures à votre œuvre, dont vous avez été l'objet en Espagne...

F. A. - Oui, c'était des réactions d'enfants, de mes camarades, alors que j'étais enfant moi-même. Il faut dire qu'on a pris très tôt l'habitude de me considérer comme un cas d'espèce. Plus tard, même à l'Athénée, avec des amis déjà très civilisés, il s'est créé autour de moi une sorte de mythologie. On me conseillait comme si j'avais été un malade d'une espèce inconnue. Mais très gentiment, parce qu'on m'aimait beaucoup.

A. C. - Et du coup, est-ce que vos premières pièces n'ont pas semblé elles aussi des pièces de malade, au public français ? Est-ce que les gens ne les ont pas trouvées un peu morbides ?

F. A. - Oh, les gens les ont trouvées très morbides. Mais en France, ce n'était pas comme en Espagne. Le public a surtout été surpris. Et lorsqu'on est surpris, on est contre, puisque ce qui surprend n'entre pas dans les schémas de pensée habituels. Je m'attendais donc à des critiques. Mais déjà le débat était bien placé. Il ne s'agissait plus de moi, mais de mon univers théâtral et artistique, à prendre ou à refuser. La critique française, d'entrée, a prouvé qu'elle visait très haut, tout en me refusant, mais au nom de critères très sophistiqués.

A. B. - Tandis qu'en Espagne, dans le groupe des Postistes, par exemple, votre œuvre, loin d'être insultée ou simplement refusée, a été très bien reçue.

F. A. - Ah oui ! Evidemment ! J'avais là dans ce groupe des amis qui tous étaient écrivains.

A. B. - Ils ne trouvaient votre production ni folle, ni malsaine. Ils la trouvaient magnifique, et ils l'ont dit plus tard très clairement.

F. A. - Oui, ce qui était normal. Ils étaient mes amis, ce que je faisais leur plaisait, et de mon côté j'aimais ce qu'ils écrivaient. Mais enfin, il y a des réactions plus officielles que d'autres. Lorsque la critique espagnole a assisté en 1958 à une pièce aussi tendre, aussi jeune, aussi fleur bleue que *Le tricycle*, une pièce à refuser ou à accepter, mais toujours dans le plus grand émerveillement, d'autant plus que c'est à cette époque la seule pièce qui sera jouée en Espagne, eh bien, la critique l'a démolie.

A. B. - J'ai pris connaissance de ces critiques. Ce ne sont pas des démolitions intellectuelles de la pièce. Ce qu'elles refusent, c'est son côté scandaleux.

F. A. - Non, non on n'est pas entré dans ma pièce, on ne lui a pas permis d'exister, d'être ressentie comme une émotion !

A. C. - Ah, voilà un mot très important : *entrer* dans le texte. Je crois qu'une grande partie des problèmes que vous évoquez en ce moment vient de là ; même le public très intellectuel, même le public très favorable a toujours, à un moment donné, une certaine difficulté à suivre Arrabal, parce que son cheminement est très particulier. Dans *Fando et Lis,* par exemple, les retournements affectifs de Fando, tels qu'on peut les déduire des inconséquences de son comportement, sont si soudains, sont si violents qu'il est très difficile au lecteur ou au spectateur de s'y reconnaître. Que cherche le lecteur, au fond, sinon à se reconnaître dans un univers familier ? Et lorsqu'il lit une de vos pièces, Arrabal, il fait un bout de chemin avec vous et puis, brusquement, il se produit toute une série de ruptures, changements d'univers et difficultés. Le lecteur ne suit plus.

F. A. - Je ne sais pas si je peux être de cet avis ! *Fando et Lis,* c'est si simple ! C'est un couple qui vit son amour avec une telle intensité ! Comment voulez-vous que Fando agisse autrement ? Lorsqu'il enchaîne Lis, ce n'est pas par sadisme. Ce n'est pas possible, puisqu'il aime tant cette femme ! En réalité, elle lui dit : « Ne m'enchaîne pas » parce qu'il a oublié de le faire. Mais étant donné l'intensité du sentiment de ce couple, il n'est pas concevable que Fando agisse autrement. Comment pourrait-il ne pas enchaîner Lis, ne pas l'exhiber ? Il n'y a là aucune inconséquence, bien au contraire.

A. C. - Arrabal, vous semblez rejoindre ici des analyses très modernes du sado-masochisme, défendant cette idée que le sado-masochiste ne recherche pas la douleur en soi, non plus que le plaisir en soi, mais simplement l'intensité de la sensation, quelle qu'elle soit. La substance est différente, mais l'intensité est la même. Et alors, est-ce que votre nouveauté, dans le domaine de l'art, ce n'est pas de vous être fait très tôt, dès 1953, le champion de l'intensité, du sentiment impossible à supporter ?

F. A. - Oui, dans *Fando et Lis,* ça crève tellement les yeux qu'il s'agit d'une manière d'aimer ! Et d'ailleurs, vous savez ce qui se passe dans les cours d'art dramatique. Toutes les années où j'ai mis la pièce au programme, on a toujours eu affaire au même problème : qui choisir comme interprètes ? Et finalement, on s'aperçoit qu'on ne peut choisir qu'un couple d'amoureux, deux élèves qui s'aiment, parce que là ils se retrouvent complices.

A. B. - Tout est toujours question de relation. Il y a la relation interne qui lie Fando à Lis, et qui est ce qu'elle est, sado-masochiste ou non, cela ne m'intéresse que médiocrement pour l'instant. Mais il y a aussi, et ça c'est bien plus important, une relation externe qui relie ce couple au reste de la société, au monde extérieur. Et dans la pièce, ce monde est symbolisé par les trois hommes au parapluie. Alors, là, Arrabal, comment voyez-vous les choses ? Parce que, tout de même, ce bel amour de Fando ne sera pas éternel. Une fois que Lis sera morte, il va se produire toute une offensive de la part des hommes au parapluie, et cette offensive va finalement aboutir à la récupération de Fando, non ? Fando va entrer dans ce monde, autrefois extérieur à lui et à son amour.

F. A. - Il ne restera même que ça. Que ce monde extérieur qui pour lui est totalement absurde, parce que lui il vit dans l'amour, qui est beaucoup plus important et beaucoup plus passionnant. Tout d'un coup, on le plonge dans ce monde extérieur comme dans un puits d'eau glacée !

A. C. - Je crois qu'il faudrait réutiliser ici cette notion d'ambiguïté, dont on a parlé plus haut. Elle se trouve encodée au départ dans le message, et il appartient à chacun de résoudre cette ambiguïté, en toute liberté, d'après ses propres associations d'idées ou de sentiments. Pour notre ami Angel, les trois hommes au parapluie représentent la société, en train de se livrer à une opération où elle excelle, à savoir la récupération des marginaux, poètes, amoureux, vagabonds, etc... Mais ce n'est pas la seule possibilité d'interprétation du symbole, car le décodage n'est pas contraignant. Ce qui rend l'interprétation symbolique très libre, à mon avis, ce sont les silences de la pièce qui, sous ce rapport, m'apparaît comme un texte à encodage faible, c'est-à-dire assez lâche, assez flou. Dans mon décodage spontané, par exemple, les trois hommes au parapluie symbolisent le Destin. Ils sont trois, comme les trois Parques de l'antiquité. Ils sont là. Ce sont des messagers de mort, qui ont déjà, par leur simple présence, causé la mort de Lis. Et maintenant, ils ne quitteront plus jamais Fando jusqu'à ce qu'il meure à son tour.

A. B. - Oui, je veux bien, c'est la métaphysique contre l'interprétation rationnelle. Mais pourtant, il y a quelque chose qui est présent dans toute la pièce, c'est le but que poursuivent tous les personnages. Ils veulent tous aller à Tar. Il existe un monde extérieur, représenté par les trois hommes au parapluie, il existe le monde intime de Fando et Lis, mais finalement, qu'est-ce qui met tout cela ensemble, c'est l'intention commune d'aller à Tar. Et cette intention caractérise toute la pièce, sans jamais l'achever. Le but est là, mais tout le monde tourne en rond. C'est le paradis impossible !

F. A. - Ah, quelle belle discussion ! Mais vous savez ce que je dis tout le temps. Il faut que chaque lecteur, chaque spectateur, chaque critique, se sente libre de donner cours à sa propre folie, sous couleur d'interpréter celle du texte. Mais la folie la plus belle, pour moi, c'est encore la folie de Fando, c'est celle de l'amour. Elle a le mérite d'être parfaitement individuelle et de porter en elle-même sa propre récompense. Mais c'est malheureusement une folie qui ne se commande pas. Heureusement qu'il y a des variantes, qui sont la création artistique, la création tout court, le fait de se dédier tout entier à un monde spirituel, voire à une spécialisation. Et chaque fois que j'en vois un cas autour de moi, je me dis : « Voilà une personne qui est heureuse ». Par exemple, quand je rencontre un spécialiste des oiseaux, quelqu'un qui se passionne pour eux, qui leur consacre son existence, qui sait les reconnaître de loin, décrire leurs habitudes, interpréter leurs sentiments. Or, on peut se passionner pour n'importe quoi, devenir spécialiste de n'importe quoi. Ce qui compte, c'est que, grâce à la conscience qu'il a de sa propre démarche, si exceptionnelle, le spécialiste acquiert forcément une ouverture qui le rend propre à mieux apprécier d'autres conduites d'exception. C'est ce que voulaient dire les Surréalistes quand ils proclamaient : « Nous aimons les homosexuels parce qu'ils font de mauvais soldats ! » En aimant les

homosexuels, dont ils appréciaient à sa juste valeur la conduite insolite, ils se rendaient plus aptes à comprendre tous
les autres gens sortant de l'ordinaire. Et ça, baigner dans
l'insolite autant qu'on le peut, ou dans l'admirable, ou
dans l'amour passionné, ça aide beaucoup à vivre intensément.

A. B. - Vivre intensément, cela pourrait s'appeler, je
pense, vivre une relation authentique dans un univers qui
ne l'est pas, dans lequel on a tout faussé. Or, dans nos
sociétés civilisées actuelles, tout le monde s'accorde
maintenant à reconnaître que le système entier des relations est faussé.

F. A. - Oui, certainement. Cette intensité, je la vois
comme une recherche d'authenticité. C'est aussi un désir
d'aimer.

A. B. - Il semble que tout commence à devenir clair.
Cette authenticité, qui est niée par les gens dans le monde
actuel, peut quand même se retrouver n'importe quand,
au sein de n'importe quelle activité, à condition de le
vouloir et d'en prendre les moyens. Ces personnes que
vous admirez parce qu'elles se font spécialistes de quelque
chose rétablissent une relation authentique et satisfaisante
pour eux-mêmes avec un univers, que ce soit le monde des
oiseaux ou n'importe quel autre monde. Et dans un univers
où tout est faussé au départ, la relation authentique ne
peut être que le fait de personnages peu ordinaires, échap-
pant à la loi commune. Alors voilà. Quand, au sein de la
relation amoureuse (entre Fando et Lis), ou au sein de la
relation amicale, ou au sein de la simple relation sociale,
vous vous attachez à dépeindre cet aspect monstrueux
(monstrueux selon les règles de la loi commune), qui
pourrait ne pas être normal, ne pas être standard, c'est
finalement une façon aussi de rechercher cette authenticité ?

F. A. - Très exactement, oui.

A. B. - Finalement, que voit la critique dans votre œuvre ? On dit : « C'est une œuvre érotique, ou sadique, ou infantile, ou exilée ». On donne un tas d'explications. Mais, à la fin, quelle que soit l'explication donnée, elle possède toujours un trait pertinent. C'est la preuve qu'il y a toujours des réponses exactes à une problématique de l'individu dans une société qui lui a enlevé justement la possibilité d'avoir avec toute chose et sur tous les plans une relation authentique. Avec les oiseaux, avec les femmes, avec la société, etc... Le plus important dans votre œuvre, ce n'est pas l'aspect sadique, bien qu'il en soit un trait pertinent. Bien sûr, on peut le mettre en valeur. Mais ce n'est qu'un des aspects. Et quand on y songe, la vie elle-même est sadique aussi.

A. C. - De mon côté, je voudrais mettre l'accent sur les silences d'Arrabal. Il y a de certaines choses dont on ne parle jamais, dans son système de relations. On ne parle jamais de la vie professionnelle des gens, ni des questions d'argent. Ou tout au moins, lorsqu'il arrive que les questions d'argent soient évoquées, elles ne constituent jamais le moteur ou le noyau métaphysique de la pièce. Comment être authentique sans aborder ces problèmes, vitaux pour la plupart d'entre nous ?

F. A. - Précisément, c'est que ces problèmes ne sont pas vitaux pour moi. Ils n'ont pas grande importance à mes yeux. Ou disons tout au moins que leur importance est limitée. Chez moi, l'argent apparaît d'une autre manière. On l'appelle « billets », souvenez-vous de l'homme aux billets du *Tricycle,* on insiste sur l'aspect purement matériel de la chose, pas sur sa puissance, pas sur le pouvoir qu'elle procure, son pouvoir d'achat. A côté du sang, des larmes, de la vie et de la mort, la passion de l'argent apparaît comme une source d'émotions tellement vulgaire, qui écarte tellement de l'essentiel !

Je ne me cache pas à moi-même que je peux dire cela parce que je vis bien, parce que j'appartiens à une caste privilégiée, parce que je n'ai pas eu faim depuis l'âge de dix-huit ans, que j'ai un toit et du chauffage. Pour moi, ça passe très très loin, les problèmes d'argent. Je suis donc incapable, en tant qu'artiste, de les traduire.

A. C. - Mais vous échappez par là à toute une partie de la réalité que vivent vos contemporains. Qu'on le veuille ou non, la société que nous connaissons est dominée par l'argent. Alors, vous vous mettez à l'écart, vous mettez le problème des autres entre parenthèses, vous vous enfuyez dans l'irréel.

F. A. - Oh, j'ai connu beaucoup de gens comme ça ! Et même parmi eux des communistes, c'est-à-dire des analystes très méticuleux, très terre-à-terre de notre société, qui étaient entrés dans le communisme comme on entre en religion. Et bien, tous ces gens-là éprouvent, comme moi, non pas le mépris de l'argent, non, pas du tout, mais une méconnaissance complète de l'argent. Ils ne savent pas ce que c'est. Et cela va si loin que, par exemple, ils refuseraient d'aller voir un film, ou de s'intéresser à une pièce où il ne serait question que d'argent. Alors qu'à la limite, ce devrait être le contraire, puisqu'ils sont marxistes, et que toutes ces questions-là ont une place à tenir dans les analyses marxistes.

Mais aussi, il y a autre chose qu'on ne peut pas nier, c'est que je sais qu'il ne peut rien m'arriver de grave de ce côté-là. Alors, pourquoi diable voulez-vous que je me préoccupe de l'argent ? A l'origine, j'étais plein de confiance en moi-même, et je me disais : « Le peu qu'il me faut pour vivre, je le tirerai toujours de ma production littéraire. Il est impossible que les gens ne s'y intéressent pas ». Maintenant, je m'interroge, et je me demande combien de temps va durer le succès actuel de cette production. Mais même au cas où je tomberais tout d'un coup dans l'oubli, ce ne serait pas pour moi une catastrophe vitale. Pas plus que pour mes amis qui sont riches, comme Topor, par exemple.

A. C. - Va pour l'argent ! Mais l'absence des catégories socio-professionnelles ?

F. A. - C'est comme ça ! Dans mon théâtre, il n'y a jamais eu d'ouvriers, ni de chômeurs, ni, à vrai dire, de rien ! Mes personnages échappent à la condition sociale, et n'ont pas de profession. La seule fois où je me souvienne d'avoir fait allusion à des problèmes de ce genre, c'est dans *L'aurore rouge et noire,* et je ne sais pas si ça m'a beaucoup amusé. Alors, si je devais traiter le cas d'un chômeur, vraiment...

A. B. - Nous sommes en train de nous égarer. Le marxisme parle de systèmes de contradictions. Ce qui est important dans le marxisme, c'est l'élaboration d'une méthode de connaissance qui, employée à propos d'Arrabal à un niveau un peu profond, révèlera chez lui une réflexion sur le système de relations dans le monde. Il a choisi celles qui menaient l'homme et la femme à une vie authentique, et refusé celles qui les mutilaient, comme le découpage par professions. Par là il combat les doctrines faussement réalistes, qui ne mènent qu'à de la photographie à bon marché. Mais en revanche, Arrabal dit toujours : « Moi, je suis un auteur réaliste », et c'est vrai, parce que l'unique réalité qui maintenant importe à quelqu'un, à nous tous, c'est la solution des problèmes essentiels.

A. C. - Moi, j'aimerais bien quelque chose de plus concret. Arrabal, quels sont vos modèles ? De quels individus, vivant sous vos yeux d'alors, vous êtes-vous inspiré pour créer, par exemple, ces trois hommes au parapluie dont nous avons déjà parlé ? Trois hommes sans argent, sans profession, sans domicile et sans passions ? Et même, avez-vous eu des modèles vivants ?

F. A. - Ah oui, bien sûr ! Ces trois hommes au parapluie, c'étaient tous ceux qui m'entouraient à l'époque, tous les professeurs, tous les prêtres, tous les dirigeants des formations politiques, les médecins qui me soignaient.

Je ne veux pas fournir de ma pièce une clef symbolique qui en limiterait les significations, mais enfin le parapluie est aussi symbole de cécité et de couardise, l'aveuglement allant de pair avec le refus de l'aventure. Ces gens-là avaient tous un lien en commun, comme Angel Berenguer l'a fait remarquer : tous, ils allaient à Tar, ils savaient où ils allaient, ils connaissaient tout, le chemin les méthodes. Tous ces doctes, qui allaient à Tar — et où c'est, Tar, ça n'existe pas ! — pleins de suffisance et d'une absurde confiance en eux-mêmes ! Mais je crois bien qu'il y a là aussi le portrait des médecins qui me soignaient pour la tuberculose et qui ne savaient faire autre chose que tourner en rond, comme les théologiens. Toutes les semaines, le malade va voir son médecin, qui lui dit invariablement : « Ça va très bien ! » La cavité ne cesse de s'agrandir, mais ça va toujours très bien. Alors, puisque tout ce monde va à Tar, Fando essaiera d'y aller lui aussi. Mais la preuve qu'il ne s'agit pas d'une démarche authentique — elle n'est pas authentique parce qu'elle est copiée — c'est-à-dire bienfaisante pour lui, c'est qu'il n'y arrivera pas. Lis sera morte avant, et ça c'est pire que tout !

A. C. - Vous ne disiez pas tout cela il y a quelque temps.

F. A. - Non, je n'en avais pas conscience. Mais depuis j'ai réfléchi, et ce que je trouve intéressant, c'est que mon premier mouvement de révolte contre les institutions a précisément illustré la méthode de Fando, suivre, emboîter le pas. C'était en Espagne. On m'avait envoyé — la société, les trois hommes au parapluie m'avaient envoyé — au camping para-militaire de la Phalange. J'avais douze ans. On me met dans le train et on m'emmène dans un petit village, au pied d'une montagne, et voici qu'il faut gravir cette montagne. Et on me charge sur les épaules un sac à dos, comme à nous tous. Je n'étais pas une exception, on ne me traite ni mieux ni plus mal que les autres. Je

devais déjà, sans qu'on le sache encore, être un peu tuberculeux, et le poids du sac était trop lourd pour moi. Et
pourtant, on me disait : « Il faut monter, c'est la patrie qui
le demande, il faut se former physiquement et spirituelle-
ment pour combattre l'ennemi, etc... » Si je m'étais rebellé
ouvertement, on m'aurait écrasé ; si j'avais continué, je
serais mort sur la route. Alors, il faut choisir autre chose,
et tout simplement, je reste en arrière. Lorsque le chef de
la centurie vient me voir je lui dis la vérité : « C'est trop
lourd ! » Tout d'un coup, ça casse. Ils n'étaient préparés
qu'à deux éventualités, la collaboration totale ou la
révolte, mais ils n'avaient prévu ni la faiblesse ni la madie.
Que faire ? Et à la fin, le chef de la centurie prendra mon
sac à dos, il l'installera sur le sien, et moi je monterai à
pied, sans sac, ce qui est déjà pénible. Mais lui, il montera
avec les deux sacs ! Donc le système a été mis en échec.

A. B. - Autrement dit, il existe une solution arraba-
lienne au faux dilemme : ou bien se laisser récupérer, ou
bien entrer en lutte ouverte. Cette solution consiste à
s'ouvrir une troisième voie, encore inédite. Par exemple,
dans cette histoire de Jésuites, à Valence (Espagne), qui
veulent vous faire entrer de force au couvent. Vous ne
dites pas : « Non, je ne veux pas ». Vous ne dites pas
non plus : « J'accepte ». Là encore, vous cherchez cette
troisième voie.

F.A. - Non, non ! J'étais très séduit par les Jésuites,
et j'ai effectivement voulu entrer chez eux. Et au moment
où se décidait mon entrée — j'avais déjà vu le Recteur de
la province — j'ai résolu d'enterrer ma vie de célibataire
en partant pour les Baléares. A l'époque, c'était un lieu
considéré comme une sorte de lupanar, où florissait le
vice. Et là, je me suis laissé aller à des attouchements sur
une demoiselle, ce qui, évidemment, était un péché très
grave pour quelqu'un qui se destinait à entrer chez les
Jésuites. Et alors, j'ai changé mon fusil d'épaule, et j'ai
coupé. J'ai rompu avec les Jésuites, mais sans chercher

58

l'affrontement. Il faut dire que j'aimais bien les Jésuites. J'allais chez eux comme j'irai plus tard chez les Surréalistes, pour m'y retrouver dans une sorte de cénacle, dans lequel on parlait de choses qui m'intéressaient avec une grande hauteur d'esprit et une grande largeur de vues. De plus, mon directeur spirituel, comme Breton, se manifestait par certaines contradictions qui me plaisaient beaucoup. Par exemple, cet homme, qui faisait partie de la toute puissante et très riche Compagnie de Jésus, me recevait dans sa cellule à peu près tous les jours, et il y avait son balai derrière sa porte, bien en évidence, pour montrer qu'il balayait lui-même. C'était un homme adorable, d'une grande valeur spirituelle et d'une amitié formidable, mais, évidemment, s'il avait eu une dent gâtée, ou un ongle pourri, on aurait fait appel aux meilleurs dentistes, aux meilleurs pédicures de Valence. Donc, le balai derrière sa porte, c'était un symbole, et rien de plus. Il balayait tous les jours sa cellule, mais ce n'était pas pour cela qu'il était pauvre. En tout cas, il me fascinait, comme le firent ensuite les Surréalistes, et pour les mêmes raisons.

Arrabal Prométhée,
Felez, 1968

Arrabal lâché par la géante

Cinquième entretien :

ARRABAL ET SES PRISONS

F. A. - Il faut dire que je m'installe avec beaucoup de facilité dans les univers fermés, régis par une petite structure, sur le modèle du cénable, avec son directeur, ses membres et sa hiérarchie. Le cas qui aurait dû être le plus atroce était le sanatorium. La discipline ne m'y pesait pas, bien qu'elle fût sévère. Pour les autres malades, elle était très difficile à supporter, sans compter qu'il y avait aussi des épreuves assez douloureuses, les transfusions dans les veines trois heures par jour, les cures de sommeil, etc... Tout était marqué, prévu, ordonné, et je m'installais là-dedans, je ne dirai pas comme un poisson dans l'eau, mais enfin je n'ai jamais protesté. Comme chez les Jésuites, comme chez les Surréalistes, je me trouvais en présence de gens qui visiblement n'étaient pas des monstres, qui agissaient pour mon bien, alors je me laissais aller.

A. B. - Mais je me souviens qu'à un moment donné vous vous étiez plaint du Surréalisme, de cette figure du Père, représentée par André Breton, personnage autoritaire, qui ne se privait pas de légiférer, de décréter des expulsions contre les membres du mouvement qui ne lui plaisaient plus, de décider sans appel. D'où, chez vous, un sentiment de révolte, qui vous a même poussé à quitter le Surréalisme.

F. A. - Oui, c'est vrai. Il y eut deux ou trois incidents, sur la fin de mon séjour dans le mouvement, qui m'éclairèrent sur le manque de libre-arbitre à l'intérieur du groupe. Et cela est très choquant, puisqu'on se trouve en présence d'un chef — on ne peut pas nier qu'André Breton ait été un chef — qui est très cordial, qu'on peut blaguer. A l'époque, je suis très espiègle, très enfant turbulent, et cela amuse beaucoup Breton. Je lui fais des farces qu'il accepte très bien. On ne peut donc pas prétendre qu'on se trouve en face d'un dictateur, loin de là. Et pourtant, il y aura ces moments terribles des expulsions, auxquelles je vais participer. Je vais être là, je vais voir les choses qui se passent, et nous décidons, mes amis et moi, de briser avec le groupe à ce moment-là.

Le premier incident déplaisant fut un événement idiot. Nous nous trouvions tous ensemble au Café Surréaliste. Nous étions bêtement fiers de nous y trouver, d'avoir été tous acceptés. Et voici qu'une femme d'une quarantaine d'années, probablement un peu folle, vient et s'installe parmi nous. Breton s'adresse à elle, et lui dit : « Vous ne pouvez pas rester ici ; ce n'est pas un lieu public ». Et la femme répond : « Mais moi j'adore le Surréalisme. Laissez-moi rester. — Madame, dit Breton, ici ne reste pas qui veut ! » A ce moment-là, la femme se braque. Elle était là de toute évidence par amour du surréalisme, mais on ne pouvait participer aux travaux du Café Surréaliste que sur invitation. « Allez-vous en, sale ivrognesse ! s'écrie Breton. — Ivrognesse ou pas, j'y suis, j'y reste ! » Et maintenant, on va voir quelque chose de drôle et de lamentable en même temps, André Breton, le Pape du Surréalisme, fait appel à la police pour mettre la femme à la porte. Et vous imaginez le spectacle, nous tous, réunis autour de Breton, et cette femme toute seule. La police n'aura pas le temps d'arriver, et l'incident va finir, des deux côtés, d'une façon épouvantable. Une des Surréalistes prend une bouteille de Schweppes, l'agite et veut en asperger la perturbatrice. Mais elle la manque, et, à la place, inonde Breton. Quant à la femme, elle a une réaction inattendue. Elle était tellement cabrée qu'elle dit : « Et bien, au revoir, je m'en vais. Allez tous vous faire foutre ! »

Le deuxième incident pénible fut celui du poète qui avait publié un texte anti-surréaliste dans une gazette littéraire qui s'appelait *Arts,* disparue depuis. Mais, comme il avait auparavant appartenu au groupe, cet article fut considéré comme une trahison et, le soir même de la parution de l'article, il se trouva trois Surréalistes pour monter une expédition punitive contre le malheureux poète, qui était très vieux. Ils en profitèrent pour lui détruire aussi trois ou quatre tableaux qui étaient dans son appartement. Tout cela fut fait à l'insu de Breton, mais lorsqu'il apprit l'incident le lendemain, il le couvrit de son autorité, comme Richelieu de sa robe rouge. Vous imaginez l'intolérance que cela révèle !

A. B. - D'où, en manière de protestation, votre départ et la création du mouvement Panique.

F. A. - Il faut ajouter autre chose. Ma première surprise, en entrant dans le groupe, ce fut de me trouver en face d'une structure très bloquée, comme chez les Jésuites, alors que je m'attendais à beaucoup de liberté et de fantaisie. En Espagne, en effet, encore maintenant, on utilise ce terme de *surréaliste* pour désigner quelque chose de débridé, de fou, quelque chose qui n'a ni queue ni tête. Je fus donc stupéfait de constater que le Surréalisme de Breton n'était ni fou ni débridé, mais au contraire affreusement dogmatique. Il y avait des choses qui lui plaisaient, et qu'on pouvait faire, par conséquent. Et parallèlement, des choses interdites, qui ne lui plaisaient pas. Par exemple, j'avais imaginé de raconter mes rêves dans *La pierre de la folie.* Ce livre, qu'il prit pour un recueil de poésies, Breton va l'aimer à la folie, il va le lire en public, de sa voix merveilleuse, en proclamant que c'était un pur chef-d'œuvre. Bon. Mais, parallèlement, voici qu'il se trouve quelqu'un d'autre qui, comme moi, imagine de soumettre au jugement du maître ce qu'il croit avoir fait de mieux en matière de production surréaliste. C'est un montage photographique relativement osé (mais est-ce que ce mot aurait dû avoir un sens pour Breton, qui prescrivait toujours la transgression des normes), où l'on voyait beaucoup de sexes de femmes. Or, contrairement à toute sa logique, Breton se fâche, déclare : « Vous usurpez le titre de Surréaliste. C'est une honte, vous n'avez pas le droit, etc. ».

A. C. - Ce que vous avez vécu en somme, dans toutes ces expériences, c'est la relation de contradiction. Le Jésuite, qui est un homme puissant, a cependant son balai derrière sa porte. Le Surréaliste — c'est-à-dire André Breton — rejoint finalement le Jésuite dans son comportement, tout aussi dogmatique, alors que, vous référant à votre formation espagnole, vous en attendiez tout l'opposé.

F. A. - Oui, c'est ce que j'appelle pour ma part la confusion. C'est le moteur même de la vie. Les esprits les plus raisonnables agiront toujours en pleine contradiction. On ne peut pas faire autrement. Pour illustrer cela d'une autre façon : on se trouve en face d'André Breton. C'est un très grand poète. Survient la mort de Paul Fort, le Prince des Poètes, et il faut procéder à une nouvelle élection. Qui aurait pu imaginer une seule seconde qu'un poète très grand et très authentique comme Breton courrait après un titre aussi frelaté ? Et pourtant, il prend la chose à cœur, fait une campagne électorale à cor et à cris, organise le scrutin. Et bien sûr, il a des partisans. Mais celui qui remporte la palme, c'est Jean Cocteau, c'est-à-dire l'ennemi, qui a eu le tort de réussir en commercialisant le Surréalisme, ce que, bien sûr aussi, les autres Surréalistes ne lui pardonnent pas.

A. C. - Comme Dali ?

F. A. - Non. Avec Dali, encore, on peut avoir un dialogue de haine, mais avec Cocteau, c'est pire, c'est le commerçant. Il s'est vendu à ceux d'en face. Dali aussi, mais Dali c'est un fou, et il a l'excuse de sa folie. Cocteau est inexcusable, et voilà qu'on l'élit Prince des Poètes ! Alors, ô surprise des surprises, Breton demande l'annulation du titre. Les électeurs se réunissent de nouveau en conclave, mais avec le même résultat. Breton ne sera jamais Prince des Poètes. Mais aller briguer ce titre dérisoire avec tant d'obstination, alors que Breton n'aurait jamais accepté l'Académie Française, ni une ambassade, ni la députation, ni un prix Nobel ! Non, ce qui lui faisait plaisir, c'était d'être le Prince des Poètes. Donc, c'est la contradiction qui règne, c'est la confusion. De même, Max Ernst est expulsé du groupe surréaliste pour une vétille : il avait accepté une invitation à la Biennale de Venise. Alors que parallèlement Breton entretenait les meilleures relations du monde avec Bunuel, qui participait à d'autres Biennales, mais pas à celle de Venise. C'était une question de lubies, de caprices. Hasard ! Folie ! Confusion ! Trouvez-moi une autre loi qui gouverne le monde !

A. B. - Ces contradictions, c'est tellement clair ! Mais il y a un autre élément de comportement chez vous beaucoup plus obscur. A peine êtes-vous sorti d'un endroit où l'on vous faisait marcher au pas, pour entrer dans un autre monde plus libéral qui vous donne, le plus normalement du monde, toute liberté de vous épanouir dans les créations les plus folles, les moins contraignantes, qu'à ce moment-là précisément vous vous arrangez pour restreindre vous-même cette liberté et vous trouver d'autres contraintes. Comment expliquez-vous ce trait de caractère ?

F. A. - Ce qui se passe, c'est que la bourgeoisie parle toujours de son âge d'or, de sa Belle Epoque, et fait silence sur tout le reste. Mais moi, j'ai connu sa mauvaise époque, et cette époque s'est cristallisée en mythe adorable dans mon souvenir. C'est-à-dire que, quoi que je fasse maintenant, où que j'aille et quoi que je voie, je m'entêterai à penser — et tous les gens autour de moi qui sont dans mon cas s'entêteront à penser — qu'il n'y a rien de comparable avec ce que nous avons vu jadis. Et c'est peut-être pourquoi j'ai gardé un si bon souvenir du sanatorium qui, chronologiquement parlant, se trouve englobé dans ce mythe de la mauvaise époque transfigurée par la nostalgie. Parce que, même si la discipline du sanatorium était aussi dure que celle d'un séminaire espagnol, il y avait aussi des avantages. Je m'incorporais à un monde de confort ignoré auparavant, j'étais bien nourri, les choses marchaient toutes seules. Le monde français, figurez-vous, c'est un monde qui marche très très bien. En Espagne, ça marchait d'une manière brutale, et parfois à vide.

A. B. - Arrabal, vous ne répondez pas à ma question. Au sanatorium, vous n'aviez pas d'autre choix. C'était encore un cas de discipline imposée, à laquelle on vous forçait à vous adapter.

F. A. - Ah oui, ah oui, mais l'adaptation ne me pesait pas, alors qu'autour de moi les autres étaient angoissés, ne pouvaient pas passer une heure tout seuls, etc... Certains en sont littéralement devenus fous.

Tenez, je pense à une chose encore. Lorsque je suis en prison, je m'y trouve très mal, et puis on ne sait jamais comment vont tourner les choses, car, là, les gens ne vous veulent pas de bien. Mais je prends la décision, à part moi, de ne rien faire pour me mettre dans mon tort, de ne jamais contredire les ordres de la prison. Or, en prison, on n'a pas de code, et on le sent immédiatement, et on en est très gêné. Comment obéir à un règlement qui ne s'affiche pas, qui veut demeurer clandestin ? C'est très difficile. Tenez, quand j'arrive à la prison de Carabanchel, on me met aux périodes — c'est un mot de là-bas — c'est-à-dire dans une cellule isolée, théoriquement sans contact aucun avec le monde des autres prisonniers. Il y a cependant des rondes quotidiennes pour compter et recompter les gens détenus aux périodes. Une sorte de Kapo, de prisonnier qui est lié à l'administration, ouvre d'abord les cellules et, deux minutes après, passe cellule par cellule l'officier qui compte les prisonniers. Puis on referme les cellules. Donc, c'était à Madrid, en juillet, le soleil tapait à travers une grande fenêtre, et comme la cellule était toute petite la chaleur était épouvantable. Profitant de mon isolement, j'enlève ma chemise, mon pantalon et je reste en slip. Au moment d'ouvrir la porte, le Kapo me dit : « Mais, *chico*, dans quelle tenue es-tu ! Habille-toi vite avant le passage de l'officier ! » Et je m'habille tout de suite, en regrettant l'absence de règlement écrit sur le mur ou sur la porte de la cellule. Si j'avais su que je n'avais pas le droit de me déshabiller à cette heure-là, je ne l'aurais jamais fait.

Et lorsque, plus tard, j'ai réintégré le régime normal, entrant ainsi en contact avec les autres prisonniers, j'ai pu constater qu'en prison on vous offrait de tout. Puisqu'on se trouve dans un monde hors-la-loi, on est perpétuellement en butte à des gens qui vous font des offres hors-la-loi : tant pour appeler votre femme au téléphone, tant pour avoir une bouteille de champagne, tant pour une montre, etc... Mais je me suis toujours refusé à tout, parce que je tenais à suivre, aussi méticuleusement que faire se pouvait, ce que je savais du règlement des prisons espagnoles. Il n'empêche que les entorses à un règlement qu'on ne connaît pas demeurent inévitables. Ainsi, il m'arriva de recevoir un jour en même temps la double visite de ma mère et de ma femme. Ça m'ennuie beaucoup de les voir ensemble, parce que je n'ai rien à dire à ma mère, mais je veux parler à ma femme. Alors je le fais en français. Deux ou trois jours plus tard vient le chef de galerie qui me dit : « Vous avez beaucoup de chance, je connais bien votre mère, vous n'irez pas au cachot. Vous avez parlé français pendant la visite et, vous devez le savoir, cela est interdit. Il faut parler la langue des gardiens ». Ce qui manque dans les prisons espagnoles, c'est un règlement intérieur porté à la connaissance du prisonnier, qui pourrait ainsi connaître ses droits et ses devoirs. Au sanatorium, c'était très clair. Les droits étaient écrits. Les devoirs aussi.

A. B. - A propos de ce séjour en prison, il me semble qu'il marque dans votre œuvre un tournant, une sorte de prélude à ce que nous avons appelé votre seconde manière. Jusqu'à ce moment-là, vous aviez suivi une inspiration très personnelle, tout intérieure, en n'y incorporant pour ainsi dire rien de ce que vous voyiez autour de vous. On n'y trouve pratiquement pas d'éléments extérieurs, pas de citations (et je ne parle pas seulement, vous allez le voir, de citations littéraires). Tandis qu'à partir du séjour en prison, vous commencez à écrire des textes où l'extérieur pénètre de plus en plus. Vous mettez dans vos textes des citations d'autrui, exprimant les opinions, les expériences, les souffrances des autres. Ces expériences, ces souffrances, sont réelles. On pourrait assimiler cela à une sorte de reportage, pris sur le vif. Et enfin, tout cela finit par déboucher aussi, mais de façon moins directe, moins vécue, sur la citation littéraire.

F. A. - Oui, oui, c'est certain ! La prison, malgré le peu de temps que j'y ai passé, a été une expérience bouleversante. En effet, j'y opérais le passage de l'imaginaire à la réalité. Et des choses qui m'avaient le plus frappé, j'avais, en prison même, composé des textes que je ne possède plus, que j'ai dû détruire avant de quitter ces lieux, où ils constituaient un redoutable danger. J'avais tenté auparavant, mais sans succès, de les faire passer à l'extérieur et, n'y étant pas parvenu, il ne me restait plus qu'à les faire disparaître. C'étaient des copies de récits faits par des prisonniers de droit commun et relatant leurs expériences, décrivant ce qui se passait dans les prisons qu'ils avaient connues. En réalité — et c'est là la seule entorse que j'ai faite à mes principes — je savais très bien qu'en recopiant ces récits je transgressais la loi non écrite du règlement intérieur. D'autant plus que je prenais mes notes en présence des intéressés, et que cela a fini par parvenir aux oreilles des gardiens. L'un d'entre eux m'a dit : « Cela est interdit, et ça va vous coûter très très cher ». C'est pourquoi, à l'heure de sortir de prison pour de bon, j'ai été soumis à une fouille très poussée. Mais il ne me restait plus que le brouillon de la pièce que j'écrivais alors, *Le jardin des Délices,* que les autorités lisent avec beaucoup d'attention. Mais évidemment, j'avais évité de mettre dans mon texte des allusions trop compromettantes. En plus de ce brouillon, j'avais aussi gardé sur moi, dans mes papiers, des annotations de parties d'échecs. J'avais disputé ces parties contre des prisonniers, et j'avais joué en aveugle, sans voir l'échiquier, comme on le fait parfois pour s'entraîner. Et comme il y avait eu des contestations sur certains coups, on s'était mis à noter ces parties, en utilisant le code habituel aux joueurs d'échecs. C'est-à-dire qu'une tierce personne avait relevé les coups sur des feuilles de papier que j'ai voulu garder, comme souvenirs de mon temps de prison, car ces parties aveugles contre d'autres détenus m'émouvaient beaucoup. Les autorités de la prison — les trois hommes au parapluie, si vous voulez — ont cru voir en ce code international des échecs un langage secret. Ils m'ont interrogé, je me suis expliqué, ils ne me croyaient pas. Tant et si bien que j'ai cru bon d'abandonner la partie, de renoncer à la lutte et de leur dire : « Après tout, si vous y tenez, gardez-les. Ce n'est pas si grave, je m'en passerai ». Mais c'était déjà trop tard, on était entré dans le système bureaucratique, il y avait une enquête qui suivait son cours, sans qu'on puisse en arrêter les rouages. Cela est allé jusqu'au directeur de la prison qui, par hasard et heureusement pour moi, était aussi un joueur d'échecs. Si bien qu'on m'a laissé sortir et emporter toutes mes notes.

Ce sont donc ces prisonniers de droit commun, pour en revenir à eux, qui m'ont le plus épouvanté par leurs révélations. Ils m'ont dévoilé une vérité que je ne pouvais pas imaginer. Pas à ce point. Les prisonniers politiques ont eu un comportement très différent. J'ai reçu des visites, des paquets, de L..., et spécialement de C..., que nous considérions tous en prison comme une sorte de saint, de saint païen. Jamais il ne se plaignait de quoi que ce soit, ni des tortures, ni des monstruosités de la vie en prison. Quand cet homme est arrivé là où j'étais, c'est-à-dire au département des prisonniers tuberculeux, il s'est placé à la porte et il m'a parlé. Mais il m'a fait un discours public. Au lieu de s'approcher de moi, il s'est tenu à une énorme distance, et, sous prétexte de me parler, il s'est adressé à tous ceux qui étaient là : « La situation économique de la classe ouvrière est catastrophique. Le pouvoir politique est en train de se désagréger. La situation extérieure est épouvantable, et ainsi de suite ».

A. B. - Comment pouvait-on laisser un prisonnier faire un pareil discours ?

F. A. - Il était très respecté. Il y avait une différence entre le traitement qu'il avait lui et le traitement réservé aux autres politiques. Une différence colossale. Par exemple, la liberté de mouvement. Nous étions tous répartis dans des galeries différentes, et il venait me voir dans la mienne, ce qui était vraiment une sorte de tour de force. Il y venait sous prétexte d'aller chez le dentiste. Cela ne trompait pas grand monde. J'ai été témoin une fois d'un incident révélateur. On avait réuni ensemble les tuberculeux et les politiques, et les gardiens nous faisaient mettre en rang. Un des politiques a blagué et a fait mine de sortir du rang. Les gardiens se sont adressés à lui d'une manière féroce, mais à ce moment-là C... est intervenu en faveur du prisonnier, et les gardiens se sont tus. C'est la preuve qu'il était très respecté. Tout le monde considérait qu'il sortirait de prison un jour ou l'autre, et qu'à ce moment-là il deviendrait un leader, aussi pensait-on déjà à se mettre bien avec lui.

A. C. - Avant de nous en éloigner, et pour que ma question ait encore un sens : nous avions effleuré tout à l'heure le problème des citations, y compris les citations littéraires. Or je vois que celles-ci abondent dans *La tour de Babel*, que j'ai lue en version française. Vous y faites quantité d'emprunts non déguisés à Baudelaire, à Verlaine, à Victor Hugo surtout. Pourquoi tous ces emprunts ?

F. A. - Il aurait fallu que vous compariez les deux versions, la française et l'espagnole, parce que les citations sont très nostalgiques, très mélancoliques, dans chacune des deux versions. Il s'agit à chaque fois de passages très connus d'auteurs très connus. Lorsqu'on entend : « Mais s'il n'en reste qu'un, je serai celui-là » — je parle pour les Français, mais il y a un équivalent pour les Espagnols — la première émotion, à mon sens, est précisément ce sentiment de nostalgie que suscite toujours le rappel du passé. Et cette émotion est absolument indépendante du contenu de la citation. Celle de Hugo fait bien un peu pompier, mais ça n'est pas ça le principal. Car on ne pense pas tant au contenu de la phrase qu'à l'époque bénie des études, au paradis des vertes années qui ne sont plus, aux rêves de la jeunesse enfuie. Et tout cela, de prime abord, agit comme un stimulant puissant de la sensibilité. C'est par là que je cherche à obtenir la plus grande partie de l'effet voulu. Qu'on n'aille pas croire, comme vous l'avez fait dans cet article que vous avez tout dernièrement donné à la Revue italienne *Francia,* qu'il entre dans ces emprunts la moindre volonté de parodie. Il n'y en a aucune. Il y a une volonté de retrouver l'ambiance dans laquelle chaque personnage a vécu. C'est pourquoi je tiens à ce que, dans chaque langue, on fasse une adaptation, en renouvelant les emprunts pour les tirer de la culture authentique du pays. Une simple traduction n'aurait aucun sens !

A. C. - Je prends bonne note de ma condamnation, et les lecteurs de *Francia* rectifieront d'eux-mêmes en lisant les présents entretiens.

A. B. - Pour en revenir à cette histoire, qui nous préoccupe tous, des emprunts, littéraires ou non, faits au monde extérieur, nous venons de voir que le séjour en prison a agi de façon puissante et déterminante. Mais maintenant que j'y pense, je crois qu'il y a eu des mouvements en ce sens bien auparavant. *La cérémonie pour un Noir assassiné* s'inspirait déjà de cette histoire arrivée au sanatorium et de cet ami noir qui se trouvait alors près de vous, Arrabal. Vous n'avez cessé de proclamer que votre théâtre était un théâtre réaliste, ce qui n'a pas manqué de surprendre beaucoup. Mais enfin, ce que vous avez dépeint...

F. A. - ... c'est la réalité toute nue ! Par exemple, vous, Angel, qui connaissez ma mère, je crois que ce qui frappe, quand on la connaît, c'est que le personnage de Françoise, dans *Les deux bourreaux,* parle exactement comme elle. Peut-être bien que le dialogue est dirigé par moi, que les paroles de Françoise sont des paroles d'auteur, mais ce qu'on ne peut pas nier, c'est que Françoise reprend les mots de ma mère, son rythme de phrase, son ton. Il va de soi que les faits rapportés dans la pièce ne sont pas les mêmes que ceux qui se passent, ou qui se sont passés, dans mon univers réel. Mais pourtant, d'une certaine manière, on y retrouve la réalité. Et justement, je me trouve toujours un peu désarmé quand je dois introduire dans mes pièces un personnage qui ne corresponde pas en profondeur avec mon monde. Par exemple, dans *Les menottes,* je me sens tout à fait à l'aise avec les personnages, bourreaux ou victimes, qui entretiennent avec la réalité des rapports très forts, ou bien parce qu'ils sont en train de la transformer, ou bien parce qu'ils sont en train de la subir. Mais je ne sais pas par quel bout prendre ceux des personnages de cette pièce qui participent à la réalité d'une façon bureaucratique. Il en va de même avec certains héros de *L'aurore...*

Je n'éprouve aucune difficulté à décrire le cas du prisonnier qui devient aveugle en prison, mais je me sens très mal à mon aise pour faire parler son ami qui a réussi dans les affaires. Comment faire parler un homme d'une seule pièce, qui se trouve à mille lieues de l'univers de la trahison, qui n'est ni victime ni bourreau, qui n'a pas de rôle à jouer, pas de masque à porter ? Il est là, tout d'une seule pièce, c'est un bon vivant, c'est-à-dire un personnage sans aucune valeur théâtrale à mes yeux.

A. C. - Arrabal, vous êtes allé plus loin que ça, et vous avez fait l'effort de sortir de votre monde personnel, de vos rêves propres. Vous avez consenti, avec *Bella Ciao,* à écrire une pièce en collaboration avec d'autres auteurs. Donc, vous vous imposiez là la vision que ces autres avaient du monde, et ça ne coïncidait plus avec votre vision à vous.

F. A. - Ça correspondait à une démarche née d'un sentiment que nous connaissons tous à des degrés divers, à un moment ou à un autre, le sentiment de culpabilité. C'est un sentiment que j'avais encore il y a très peu de temps. Il arrive un instant où on se sent coupable. On ne sait pas pourquoi on est coupable, ni de quoi on est coupable, mais on éprouve ce sentiment. Alors, il arrive qu'on se laisse aller, et qu'on commet des actes comme celui de *Bella Ciao.*

A. B. - Pour commencer, vous aviez obtenu du Théâtre National Populaire un contrat pour monter une pièce. Cette pièce, c'était *Bella Ciao.* Et après, qu'est-il arrivé ?

F. A. - Oui, je devais respecter mon contrat, et la pièce était encore à écrire. J'aurais pu l'écrire tout seul, et à ma guise, mais on se trouvait alors dans l'ambiance des événements de Mai 1968. J'avais déjà choisi pour metteur en scène Jorge Lavelli. Vous savez que nous nous connaissons bien et depuis longtemps. Et voilà que nous

nous sommes dit : « Nous allons nous lancer dans l'aventure collective ». C'était très à la mode, ou plutôt ça allait l'être. A ce moment-là, il s'agissait encore sans doute d'une démarche originale, reprise ensuite par beaucoup de monde. Nous nous attelons donc à un travail en commun, auquel tout le monde participe, acteurs, machinistes, metteur en scène, et moi-même. Pourtant, je suis l'auteur, et en cette qualité immédiatement accablé par un complexe de culpabilité : l'auteur, c'est le *deus ex machina,* qui fait tout aller à son gré dans la pièce, qui impose ses vues aux autres. Et, en 68, cela n'était plus de mise. J'ai donc déclaré que je ne voulais pas m'imposer, que je n'aspirais qu'à un rôle plus technique de cheville ouvrière. Et qu'est-ce que je pouvais apporter ? Et bien, je me réservais de transformer en images théâtrales les considérations éthiques, politiques, sociologiques, philosophiques de cette masse de gens. Je ne pouvais pas épouser toutes les nuances ou tous les méandres de toutes leurs pensées, mais j'imaginais – nous imaginions tous – qu'ils étaient sur la bonne voie pour réformer, changer, rendre le monde révolutionnaire et meilleur. Sur le papier c'était magnifique. Enfin, c'est comme cela que je le voyais à l'époque. Maintenant que j'ai fait cette expérience une fois, je ne la recommencerai jamais plus !

J'avais affaire à une quinzaine de musiciens et à une vingtaine d'acteurs. Les machinistes s'étaient récusés au départ. Les comédiens se sont montrés très excités lorsque nous leur avons, Lavelli et moi, proposé le travail. Mais au bout des quatre premières séances d'élaboration de la pièce, ils se sont trouvés archi-saturés, et ils nous ont dit une évidence. « Le travail de comédien exige déjà un effort intense. Nous pouvons répéter pendant quatre heures. Mais si en plus des quatre heures de répétition, il faut encore rester ici à discuter pour savoir comment écrire et comment diriger la pièce, alors c'est la mort ! » Il faut dire que les premières séances de travail étaient abominables, parce que tout le monde trouvait toujours tout très mauvais. Tout, la pièce, les dialogues, la philosophie de la pièce, etc... Et pour finir, petit à petit, sans qu'il y ait eu ni vote, ni mouvement d'opinion, qui est-ce qui émerge, qui est-ce qui prend pour ainsi dire la tête ? Ce sont les têtes fortes politiques, au nombre de deux : un décorateur, qui prend la chose très à cœur parce qu'il est membre d'un parti, et un acteur, gauchiste militant, qui avait fait Mai 1968 et qui connaissait son affaire. Si bien qu'en fin de compte tous les autres désertent et que nous faisons nos réunions à quatre, Lavelli, l'homme du parti, l'agitateur gauchiste et moi. Les affrontements se produisent d'ailleurs la plupart du temps sur le plan politique, plutôt qu'artistique, entre cet acteur et ce décorateur. Mais, du gauchiste et du militant du parti, c'est le militant qui va gagner, toujours. Le gauchiste est un provocateur, qui demande les choses les plus folles, mais, en fin de compte, c'est l'autre qui l'embobine. Ce sont eux qui vont me donner les sujets dont je vais faire des images théâtrales, que je leur soumettrai le lendemain. Le lendemain, elles seront corrigées, on y ajoutera de petites chansons, on y apportera des modifications. L'acteur et le décorateur sont enchantés de la situation, et travaillent à plein plaisir. Le militant du parti montre sa tolérance en acceptant pour exécuter la musique un groupe anti-soviétique, le groupe Komintern. C'était un groupe maoïste, disparu depuis, qui faisait de la très belle musique pop. La responsabilité politique du spectacle était donc partagée par ces deux hommes, qui, somme toute, avaient fini au fil des semaines par s'entendre assez bien. Mais arrive une catastrophe qui va condamner la pièce et l'expérience. Nous nous attendions évidemment à ce que la droite soit furieuse, mais nous comptions bien sur l'appui de la gauche. Or, lorsque vient le représentant du Comité culturel du Parti, invité à une de nos répétitions par son ami le décorateur, il a le malheur de trouver cela horrible et politiquement mal orienté. Il s'en va, très hostile, et il doit chapitrer le décorateur qui disparaît à son tour. On ne l'a plus jamais revu. Alors, on continue à trois. De toutes façons, à ce moment-là la pièce se trouvait à peu près entièrement écrite, et il était trop tard pour changer. Si bien qu'on s'est trouvé avec l'histoire de toujours. Devant une pièce de cet ordre, la droite se ferme comme une huître avec un bel ensemble, le Parti communiste désapprouve et on ne peut compter que sur l'appui de quelques gauchistes, qui ne font pas le poids.

Mais ce qu'il y a de plus extraordinaire, c'est que lorsque la pièce a été jouée en Allemagne et au Japon, qui ignoraient le détail de ces disputes politiques particulières à la France, tout a très bien marché. On représentait une pièce révolutionnaire, bon, et bien les gens n'ont pas été chercher plus loin. Mais, en France, la faute a été de confier une fraction des responsabilités à ce décorateur membre du parti, si bien que le parti a considéré cette pièce comme une chose à lui, qui devait donc soit se trouver absolument dans sa ligne du moment soit être condamnée sans appel. Et pourtant, à mon avis, c'est un jolie spectacle. Je ne recommencerai pas une telle expérience collective, mais je dois reconnaître que le résultat, et surtout la mise en scène de Lavelli, c'était joli !

Arrabal et la Femme-Messie contemplés par la truie
Felez, 1967

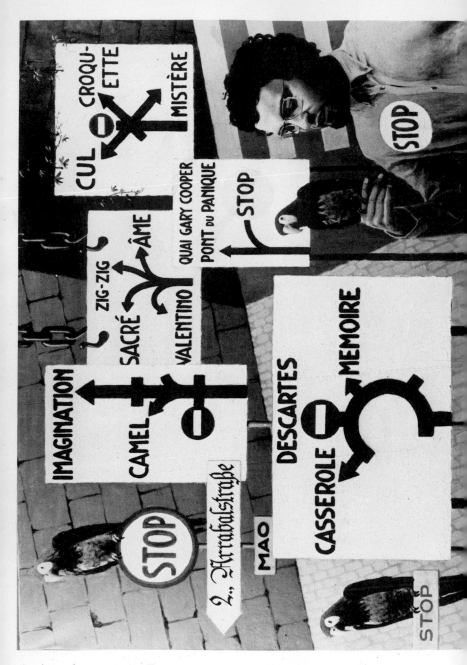

*L'extravagante réussite de Jésus-Christ, Karl Marx
et William Shakespeare*
Crespo, 1967

Sixième entretien :

L'ARRABAL NOUVELLE MANIERE

A. C. - Le fil de nos associations d'idées nous a donc menés très directement à votre nouvelle manière. Pourquoi ne pas continuer à en parler, puisque nous y sommes, avec *La ballade du train fantôme, Jeunes barbares d'aujourd'hui, La tour de Babel,* et tout ce qui est en train de suivre ?

A. B. - Moi, j'aimerais d'abord définir cette manière en deux mots. Il me semble qu'Arrabal a retrouvé de façon vivante et profondément sentie cette technique de la distanciation si recherchée par Brecht, mais qu'à mon avis il a pratiquée trop souvent de façon mécanique. Arrabal, en trouvant des éléments d'inspiration qui lui sont extérieurs, les utilise très sereinement, de très loin, à distance. Voilà ce qui donne chez lui les pièces d'après.

F. A. - Quelles pièces merveilleuses ! Pour *La ballade du train fantôme,* je suis à Albuquerque, et je décide de voir Santa-Fé. En regardant la carte, alors que je suis sur l'autoroute, je remarque qu'il y a, un peu à l'écart, une ville qui s'appelle Madrid. Oh ! quelle curiosité, on va aller voir ce Madrid-là. Lorsque j'y arrive, c'est le choc ! Je vais vivre intensément les deux ou trois heures suivantes. Madrid est une cité-fantôme, une ancienne mine désertée par la totalité de ses habitants. J'ai vu la petite maison abandonnée par les mineurs, avec encore des gravures fixées au mur. On aurait dit que l'exploitation n'avait été qu'interrompue, qu'elle allait reprendre du jour au lendemain. J'étais très ému. Dans les bureaux de la mine, il y avait encore toutes les statistiques, tous les plans de production, et, notamment, collées au mur, des coupures du *New York Times* relatant les exploits de l'équipe de baseball la Ligue du Pacifique. Alors, tout d'un coup, l'émotion a été très forte, et elle l'aurait été même si le nom de la ville n'avait pas été Madrid. Mais là, à plus forte raison. Et j'ai pris la décision de faire vivre dans l'épaisseur d'un spectacle théâtral cette tension extrême éprouvée en face de cette ville morte.

A. C. - Et d'où vient l'invention des personnages ? Il n'y avait personne dans la ville à ce moment-là.

F. A. - Non, il n'y avait personne. Mais, sur le coup, j'ai pensé d'instinct à écrire une pièce à deux personnages, plus ou moins homosexuels, Tharsis et le duc de Gaza.

A. C. - Cela aurait rappelé de très près *L'architecte et l'Empereur d'Assyrie.*

F. A. - Oui et non, car j'étais très tenté de faire de Tharsis un écrivain, et non plus un Empereur. J'ai connu ensuite beaucoup d'autres tentations, mais j'ai finu par toutes les écarter et par choisir pour Tharsis un rôle d'escamoteur. Il me semblait que c'était mieux ainsi, moins en rapport avec la réalité. Sur ces entrefaites, ayant toujours en tête mon idée de pièce, j'en parle à un homme de cirque, le funambule Pierre Constant, et ce dernier m'initie au monde très spécial du cirque. Les acteurs y vivent tout à fait en marge des autres gens, et cela presque uniquement parce qu'ils ont cette passion de se produire en public. Constant me fait connaître à Paris des écoles de cirque, petites, minables, poussiéreuses, mais où règne une discipline de fer. Dans ce monde-là, comme dans celui du cyclisme, qui lui ressemble par plus d'un côté, il n'est pas question de revendiquer quoi que ce soit. Constant m'emmène aussi chez lui et me fait une démonstration de son art. Il monte sur son fil et voilà qu'il en est transfiguré, par l'intensité avec laquelle il vit ce moment-là. C'est alors que j'ai découvert que Tharsis ne pouvait pas être un escamoteur, pas plus qu'il ne pouvait être un écrivain. Non, il me fallait un funambule. En fait, il me fallait Pierre Constant lui-même, qui interpréta le rôle de Tharsis lorsque la pièce fut représentée au Festival d'Avignon en août 1974. C'est alors aussi que je fus frappé par la nécessité de donner un maître à Tharsis, et c'est comme cela que, de fil en aiguille, au bout de l'écriture est apparu le vieux Wichita.

A. B. - Quant à l'univers du cyclisme dont vous parliez tout à l'heure, il a fini par vous inspirer *Jeunes barbares d'aujourd'hui.*

F. A. - Oui, et voici comment cette pièce est née. Je tentais de monter une tout autre pièce, *Le ciel et la merde,* avec des acteurs que j'aimais beaucoup. Mais au bout de trois répétitions j'en avais assez, et alors je dis aux acteurs : « Ecoutez, ça ne va pas ! Ce texte m'est insupportable, je ne peux plus le sentir, et d'ailleurs j'ai maintenant une idée de pièce nouvelle, qui pourrait vous fournir un autre texte. Attendez un mois ou deux et revenez tous à ce moment-là ! » Ils ont bien voulu attendre tout ce temps-là, pendant lequel j'ai composé pour eux *Jeunes barbares.* L'idée m'en avait été fournie, très indirectement, par le petit scandale qu'avait fait un coureur cycliste d'origine espagnole, un certain Romero, engagé dans le tour de France. Il avait raconté au journal sportif *L'Equipe* la situation du domestique, du « gregario », qui est un grand cycliste, animé d'une grande passion, mais qui ne peut pas développer tous ses talents pour gagner la course lui-même, car il entre dans une équipe comme domestique du champion, comme porteur d'eau. Il fera un travail deux fois plus fatigant que celui de la vedette pour être mal payé, et surtout pour voir lui échapper la gloire. Bref, il se trouve dans une situation d'esclavage, mais d'esclavage consenti, qui pour moi est bouleversante. A côté de ça, il y a eu aussi la question de la drogue qui m'a beaucoup impressionné, parce que j'ai entendu des choses hallucinantes. Il y a un passage de la pièce qui s'inspire directement de la réalité, de la mort du champion anglais Simpson, qui s'est effondré dans le Ventoux, terrassé par une crise cardiaque due à l'excès des stimulants. Il tombe, le public qui est là au bord de la route le remet en selle, le pousse, et il repart en pédalant, mais il est mort et c'est son cadavre qui pédale encore pendant quelques secondes avant de s'écrouler pour de bon. Et Romero a encore parlé de toutes ces pratiques monstrueuses qui coexistent avec l'emploi des drogues : oxygénation forcée du sang, réinjection de quantités supplémentaires de plasma sanguin, etc... Il y a de quoi faire défaillir d'horreur Sade lui-même. Car l'esclave volontaire devient en outre un supplicié consentant. Et il n'a pas le choix, il ne peut pas faire autrement, pour ne pas voir s'évanouir toutes ses chances. S'il y a un coureur qui recourt à ces pratiques, tous les autres doivent y recourir aussi. C'est pourquoi ce sont les coureurs eux-mêmes qui demandent le contrôle du *doping,* dans l'intérêt de leur propre santé. Alors, quand j'ai écrit ma pièce, je me suis tout naturellement identifié au « gregario », au domestique, et j'ai pris autant que faire se pouvait son point de vue.

A. C. - Esclavage consenti, supplice volontaire : vous vous trouviez là en face de ces situations contradictoires qui vous fascinent.

F. A. - Oui. Et il faut ajouter que l'esclavage y est consenti sans espoir, par dessus le marché.

A. C. - Et quelle a été l'image théâtrale dominante ?

F. A. - C'est celle de l'exploitation de l'homme par l'homme, avec le secours de la drogue utilisée à des fins sportives. Et de plus, théâtralement parlant, j'aime beaucoup la bicyclette. C'est un bel accessoire de scène, un des objets les plus beaux que notre siècle a fabriqués. Il y a aussi dans cette pièce un personnage tout à fait beckettien, c'est celui de Dumpty, le masseur aveugle, très typique du cyclisme. Dans le sport, l'effort exigé et fourni est tellement intense qu'au bout d'un certain nombre d'années l'organisation du sportif se désagrège. Et puis il y a les chutes, qui vous démolissent un homme. Si bien que le sport finit par engendrer des tarés, et qu'on finit par trouver des masseurs aveugles qui sont d'anciens champions, jeunes et beaux autrefois, déchus aujourd'hui.

A. B. - Puisque nous en sommes aux genèses, quelle fut celle de la pièce suivante, *La tour de Babel ?*

F. A. - Je me demande si on ne trouverait pas ma tante à l'origine du rôle de la duchesse Latidia de Teran, bien qu'en réalité elle n'ait rien d'une duchesse. Nous ne sommes pas des aristocrates. Non. Mais c'est un être contradictoire et quichottesque, une femme très spectaculaire. A son image, très théâtralisée, se superposent toutes celles qui sont évoquées par un mot très à la mode en Espagne, juste avant la mort de Franco. Tout le monde avait à la bouche le mot *desmadre*. L'Espagne, c'est le *desmadre,* la pagaille. En fait, c'était très exagéré, et on avait vite fait de crier au désordre au moindre incident. J'ai donc écrit cette pièce sur l'un des sujets favoris de ma tante, le patriotisme. Il faut dire, entre parenthèses, qu'elle travaille au Ministère de la Guerre. Dans le cadre de ce sujet, j'ai voulu camper un personnage pittoresque et sans complexes, très attaché, comme ma tante, aux idées d'Espagne, de religion, de passé. Et ce personnage assiste au spectacle de son pays qui se *desmadra,* qui se détériore, qui oublie ses valeurs. C'est à ses yeux un désastre national. Mais parallèlement, ce personnage, la duchesse Latidia dans ma pièce, tire de son appartenance à cette Espagne qui se démantèle une très grande fierté. Ce qui la met dans un état de contradiction très intéressant en soi, dans une situation de rupture. En un sens, *La tour de Babel* est une préfiguration de ce qui va se passer dans la réalité historique espagnole, de ces carrières picaresques et palatines après la mort de Franco.

A. C. - Mais ces miracles, ces transfigurations de personnages, cette apparition d'un âne martien qui finit par prendre forme humaine à la fin de la pièce, tout cela c'est très loin de l'histoire. Est-ce que ce ne sont pas autant de provocations très gratuites ?

F. A. - Pas du tout gratuites, mais très nécessaires au contraire. Prenons le cas de l'âne martien. Je ne le traite pas du tout comme aurait pu le faire un Jean Cocteau, qui nous aurait planté en scène un âne bien réel, bien fantastique, de façon claire, nette et définitive. Alors que dans mon texte, et surtout dans les mises en scène que j'en ai faites, on ne sait jamais si l'âne est vrai ou pas. Il n'existe peut-être que dans la tête de la duchesse. Au Brésil, j'avais appuyé la chose davantage encore, puisque j'avais fait que l'âne était vivant, qu'on le voyait sur scène, mais que c'était la bonne qui hennissait. De plus, il faut remarquer que, dans les scènes où apparaît l'âne, la duchesse est toujours seule avec lui, alors que la pièce fourmille de personnages.

A. B. - Donc, vous avez pris comme personnage central une femme, qui vous rappelait votre tante. Mais que dire des autres acteurs, de tous ces comparses, pourquoi ce monde très spécial qui entoure la duchesse, pourquoi ces mendiants ?

F. A. - Ils représentent le lumpen-prolétariat. Mon refus du marxisme a toujours été tel que je n'ai jamais pu lire avec succès une page du *Capital*, de Karl Marx. Et je ne connaissais pas l'existence du lumpen-prolétariat. J'avais entendu le mot, comme j'avais entendu le mot *plus-value,* mais sans y faire autrement attention. Et dans cette pièce, j'ai voulu tout d'un coup faire exister le lumpen-prolétariat. Ce sont les mendiants qui demeurent en marge du système de production, mais qui vont participer à la transformation du monde au même titre que les nobles, qui, eux aussi, sont des marginaux.

A. C. - Arrabal, pour en finir avec le théâtre, avant de passer au cinéma, dites-nous quelles ont été vos sources théâtrales, celles qui vous ont mené à ce genre littéraire plutôt qu'à un autre. Quel type de théâtre aimiez-vous comme spectateur, avant d'écrire vous-même ? Vos thèmes sont très personnels, mais vous leur avez quand même donné telle forme particulière plutôt que telle autre. Pourquoi ?

F. A. - J'avais la nostalgie d'un théâtre espagnol que je ne vois plus, que personne ne voit plus, parce que ce type de théâtre est aujourd'hui très démodé. Je pense notamment aux mises en scène que faisait un certain Rambal, qui travaillait dans un genre qu'il avait probablement hérité du temps de Calderon de la Barca. Les thèmes du spectacle étaient toujours lamentables, mais la technique théâtrale — nous disons la *tramoya* en Espagnol — était prodigieuse, fascinante, au point qu'aujourd'hui encore je voudrais pouvoir rencontrer toutes les personnes qui animaient ces spectacles si mauvais, les metteurs en scène, décorateurs, costumiers, machinistes, techniciens. Rambal mettait en scène des vies de saints, des miracles, dans des décors absolument réalistes — c'est-à-dire où l'illusion de la réalité, de cette réalité qui n'a jamais existé, atteignait le sommet de la perfection. Par exemple, on amenait sur le théâtre une sainte dont s'étaient emparés de méchants impies, qui la brûlaient vive. Ou bien, c'était une petite gardeuse de canards, dont les canards vivants barbotaient librement dans une vraie rivière, et subitement, par je ne sais quel système de transparence, la Sainte Vierge lui apparaissait. C'était évidemment, même aux yeux de la critique, un thème très mauvais, pour spectateurs culturellement sous-développés. Mais l'illusion était parfaite, je peux le garantir, ayant assisté à Madrid à des spectacles de ce genre jusqu'à l'âge de seize ou dix-sept ans. Et par la suite, je n'ai plus retrouvé des illusions aussi bien faites, du moins au théâtre. Au cinéma, c'est différent, on a de tout autres techniques. Mais ici je parle de la scène. Le théâtre d'aujourd'hui a voulu rompre avec ce système qu'on trouvait trop artificiel, et finalement l'art s'en est perdu.

A. C. - N'avez-vous pas retrouvé une technique analogue au Japon ?

F. A. - Non, pas exactement. Au Japon, ce qui domine, c'est le souci du détail, la perfection non de l'illusion, mais de l'accessoire. Et en même temps, les metteurs en scène ont un culot monstre. Par exemple, j'ai vu des rôles tenus non par des acteurs, mais par des poupées. Le problème c'est de les animer. Alors chaque poupée est manipulée par trois machinistes, un pour la tête et deux pour le corps. Ils sont là sur la scène, on les voit. Pour ajouter à la confusion, ils sont vêtus de noir des pieds à la tête, et ils sont recouverts d'un voile noir, l'air de dire : « Nous ne sommes pas là ». Mais cela les rend encore plus présents. Non, cet art dont je parle s'est perdu. Mais il a existé, on le sait, et sa belle époque ce fut le siècle d'or espagnol. Il mettait en œuvre tous ces artifices extraordinaires qui émerveillaient les contemporains. On nous raconte, par exemple, comment, dans un auto-sacramental de Calderon, un char descend du ciel, tiré par six chevaux blancs, tout sellés, au-dessus du petit étang du Retiro. Et tout était réalisé dans le moindre détail. Il y avait donc tout cet appareil que le théâtre dit moderne a volontairement supprimé, à l'arrivée du théâtre d'avant-garde, dont j'ai fait partie. Nous voulions démontrer qu'un arbre suffisait à créer une atmosphère, s'il était suffisamment suggestif.

A ce propos, je voudrais placer ici, pour les gens de

théâtre, une petite anecdote au sujet de la pièce de Samuel Beckett *En attendant Godot.* Il est surprenant de comparer, la célèbre mise en scène de Roger Blin, au Théâtre de Babylone d'abord, puis à celui de l'Odéon, avec la mise en scène que je viens de voir et qui a été réalisée par Beckett lui-même. Pour un homme du métier, la différence est colossale. L'arbre de Beckett est encore plus dépouillé que celui de Blin, qui pourtant n'était pas feuillu à l'excès. Mais celui de Beckett, c'est un tronc squelettique d'où émergent un début de branche à droite et un tout petit début de branche à gauche. C'est tout. L'ensemble est très effilé, à la Giacometti, mais très réaliste en même temps. Dans le reste du décor et dans les costumes, Beckett sacrifie au même esprit de dépouillement. Nous avons tous une certaine image d'*En attendant Godot,* née de la démarche de Blin, que la plupart des metteurs en scène ont imitée, en imaginant que c'était la démarche même de Beckett. Et il est assez extraordinaire de voir cette image bousculée maintenant par l'auteur, agissant en personne. Pour les personnages, par exemple, on avait toujours habillé Lucky à la manière de Blin, avec une veste rouge de domestique anglais. Et son maître Pozzo est mieux habillé, en sa qualité de maître, que les deux vagabonds qui le regardent passer sur la route, Estragon et Vladimir, qui sont tous deux vêtus de noir. Alors là, Beckett a tout transformé. Il a habillé les quatre personnages dans le même ton, comme pour signifier que tous les quatre ont été pensés dans la même tête, poussés par le même ventre. Certains jeux de scène, huilés par Blin, se sont trouvés mécanisés par Beckett d'une manière chaplinesque. C'est-à-dire : « Je m'en vais et je ne bouge pas ». C'est toujours les deux mêmes pas, très saccadés et tout à fait artificiels.

J'ai choisi cette anecdote parce qu'elle illustre très bien à mon avis ce que nous voulions faire, nous, auteurs d'avant-garde. Ce qui nous préoccupait, c'était de faire passer, je ne dirai pas le message, mais un certain nombre de tensions émotionnelles, à travers un minimum de mots et de gestes dont le spectateur ne pourrait pas perdre une miette. Et il est juste que l'homme de l'époque,

Beckett, ait choisi cette manière et s'y soit tenu. Mais moi, maintenant, je pense que j'aimerais essayer de trouver un enrichissement à cette voie théâtrale d'aujourd'hui si dépouillée, en l'ornant du luxe d'un artifice pourvu de tous ses attributs. Il faudrait rendre au théâtre le prestige scénique de l'illusion parfaite, qui est un prestige perdu.

A. C. - Comme autrefois chez Calderon.

F. A. - Très exactement !

A. B. - Et alors, vous pensez peut-être y parvenir grâce à un certain choix d'objets plus ou moins inusités. Vous aimez l'exubérance d'objets, et d'objets utilisés, vieillis, voire dégradés. Vous n'aimez pas tellement les objets neufs, les objets de magasin, sans mélancolie aucune, purement utilitaires, que les gens ne peuvent aimer parce qu'ils ne leur rappellent rien. Bref, vous donnez volontiers dans la brocante.

F. A. - Au théâtre, la voie de ces dernières années a été de construire, quand on le pouvait, de formidables machines, qui me font toujours penser à des usines, à de très belles usines. Et moi, je préfère aller à la mansarde, qui représente pour moi le monde du sentiment. On y monte, comme en pélerinage, et l'on y découvre quantité de choses oubliées, ou même simplement éclairées autrement, à travers le vitrage de la mansarde. Les grandes machines me mettent mal à l'aise, et me semblent convenir assez mal à mon théâtre. Quand il fut question de monter *Les menottes* en Californie, et qu'on me présente le fameux Californian Institute of Art, je m'enfuis épouvanté. Pourtant, on avait choisi ma pièce pour l'inaugurer, mais cette espèce de merveilleux hangar ne me disait rien. Et finalement, j'ai échoué, à ma demande, dans un studio de télévision qu'on avait mansardé. Alors, tous ces vieux objets qui sont là ont le parfum des choses révolues, ils me ramènent au passé, ils sont chargés d'émotions. Il ne faut pas sous-estimer pour l'imaginaire l'importance du passé. J'ai dit moi-même que l'imagination c'était l'art de mélanger des souvenirs. Tout ce qui provoque ce mélange de souvenirs est à favoriser. Je vais jusqu'à fabriquer des livres que j'utilise pour moi tout seul afin de provoquer des réminiscences, afin de manigancer certains raccords de choses qui vont me ramener dans mon passé.

A. C. - Mais pourtant, il y eut des réalisations du type « usine » qui vous ont beaucoup plu, et qui ont très bien servi vos pièces. Vous avez, par exemple, très bien accueilli le décor de ce type réalisé pour *L'architecte* à Nuremberg par Lavelli. C'était un décor tout métallique, sur un plateau gigantesque, avec des ruines d'hélicoptère calciné, ça n'avait rien de la mansarde !

F. A. - Ah, dans mon idée, ça tenait beaucoup du cataclysme médiéval. Les deux personnages et le décor lui-même étaient couverts d'une poussière blanche, une poussière d'os, ancestrale. Les acteurs étaient habillés d'un blanc très vif, blanc d'os lui aussi, assorti à cette poussière, comme s'il avait plu cette mlédiction du ciel. L'ensemble faisait monstrueux, mais monstrueux vieilli. Cela rentrait donc un peu dans mes catégories. Les ruines d'hélicoptère elles-mêmes évoquaient plutôt les tout premiers modèles, qu'on appelait encore autogyres. D'où un parfum de vieillerie, de chose démodée, même dans ce décor apocalyptique, très adroitement donné par cette carcasse rongée d'autogyre, comme par un moulin à souvenirs. Qu'est-ce qu'il y a en effet de plus mélancolique, sinon les objets qui frappèrent, vingt ans plus tôt ou cinquante ans plus tôt, comme des symboles du Progrès ? Ce n'est pas la commode Louis XV qui nous touche dans ce cas-là, c'est la vieille bicyclette du grand-père. Elle est si ridicule qu'elle en devient attendrissante !

A. B. - J'aimerais parler d'un autre aspect de la mise en scène, celui du débordement de l'espace théâtral, du spectacle dans la salle, par rejet de la scène à l'italienne, comme ce fut le cas pour *Le cimetière des voitures* vu par Victor Garcia.

F. A. - Cela dépend de l'actualité. Les mauvais esprits diraient de la mode. Lorsque le public s'attend à se trouver dans une salle avec scène traditionnelle, il est important de le placer dans un contexte inattendu qui va le provoquer. C'est pour cela que j'ai dessiné personnellement le lieu scénique des *Menottes,* qui se jouaient partout à la fois dans la salle. Et je peux vous assurer que cela a fait naître au moins une grande curiosité, ce qui est déjà intéressant comme premier résultat. Mais depuis on a tant vu de ces spectacles produits sur une scène éclatée, à la moderne, que je commence à trouver beaucoup de charme à la scène à l'italienne.

A. C. - Mais, d'une façon plus générale, et que le lieu scénique soit éclaté ou non, est-ce que vous vous considérez vous-même comme un auteur de pièces à grand spectacle ? Est-ce que, pour être bien servies, vos pièces n'ont pas besoin d'une mise en scène somptueuse, d'une mise en scène à gros budget, du type « usine », précisément ?

F. A. - Non, pas forcément. C'est que, voyez-vous, il y a deux inconvénients possibles : c'est l'excès d'argent, tout aussi bien que le manque d'argent. Ce qui est capital au contraire, au point de passer avant toute autre considération, c'est le talent du metteur en scène, sa compréhension de la pièce. Lorsqu'il y a du talent, tout va bien. La réalisation de *L'architecte* à New York, due à O'Horgan, était géniale dans sa conception même. Inversement, la mise en scène de Claude Régy pour *Le jardin des délices,* que j'ai vue à Paris, m'avait fait me demander si l'imagination n'aurait pas pu trouver quelque chose de mieux pour moins cher. Et puis, cela dépend de la pièce elle-même. Il est possible que finalement *L'architecte* soit une pièce assez chère, je n'en sais rien. Mais *En attendant Godot* est très économique au montage. Et il en va de même, pour parler de mes propres pièces, de *Fando et Lis.* Cependant, à mon avis, plus la pièce est économe de moyens matériels, plus elle est dépouillée, et plus elle a besoin d'un talent énorme de la part du metteur en scène et des acteurs. Ce qui est malheureux, c'est qu'on puisse se heurter à la fois aux deux inconvénients, le manque de talent et le manque d'argent !

A. C. - Je crois que cela vous est arrivé dans vos années de début, mais que maintenant vous suscitez au contraire d'assez belles réalisations !

F. A. - Oh, il y a encore quantité de jeunes troupes attirées par mon théâtre, pleines de foi, pleines d'enthousiasme, mais sans grande expérience et sans grands moyens financiers. Souvent, ces jeunes troupes gravitent autour d'une ou deux personnalités de talent, très éveillées, très originales, mais entourées dans leur groupe de gens moins brillants. Il y a des phénomènes qui n'existent pas en France, à cause des théâtres subventionnés, comme celui des troupes indépendantes. Mais moi pourtant, je dirais que, d'une certaine manière, j'ai une sorte de troupe indépendante, puisque j'ai des amis qui sont acteurs et tout disposés à monter un de mes spectacles dès que l'occasion s'en présente. Cependant nous ne fonctionnons pas comme une vraie troupe indépendante, puisque cela ne nous arrive que tous les deux ou trois ans.

A. C. - Avez-vous une doctrine, un idéal de metteur en scène, qu'on pourrait reconnaître à quelques traits pertinents, toujours les mêmes ?

F. A. - Non, pas que je sache. C'est comme pour écrire : les idées que j'ai sont mises en œuvre à chaque fois dans des circonstances particulières, dans une intention bien précise, et unique en son genre. Par exemple, lorsque j'ai réalisé le film *Viva la muerte,* je me suis dit : « Au cinéma, il faut nécessairement que les images du monde onirique se différencient d'une manière immédiatement visible des images du monde réel ». C'était pour moi un dogme absolu, mais uniquement pour *Viva la muerte.* Et quelque temps après, j'ai considéré cette distinction comme superflue pour les pièces de théâtre. De la même manière que, politiquement, je ne veux pas appartenir à un groupe donné une fois pour toutes, je ne veux pas non plus m'enfermer dans une doctrine littéraire. Je veux être un poète éveillé.

A propos de ces scènes oniriques de *Viva la muerte,* j'ai d'ailleurs déjà changé d'avis, et si je refaisais le film maintenant, je ne donnerais plus de distinction formelle au monde du rêve. J'évolue en effet de plus en plus dans un sens qui laisse sa pleine liberté au spectateur. Celui-ci a le choix entre deux solutions. Ou bien il se dit que la scène qu'il voit sur l'écran est réelle ; ou bien il se dit que c'est une scène onirique, traduction d'un rêve proprement dit mais aussi le plus souvent, d'un simple fantasme, d'un désir violent, et la scène est alors imaginée par le personnage. Dans *Les menottes,* ce ne sont pas des fantasmes ni des désirs, mais de vrais rêves. Et lorsque les comédiens et les machinistes travaillaient sur la pièce, ils parlaient toujours de ces passages-là en disant : « Ah, ça c'est dans le rêve », bien que cela ne soit marqué nulle part dans le texte. Et je crois aussi que nous portons tous en nous de puissants mécanismes de défense contre les suggestions de l'imaginaire. Et lorsque nous sommes confrontés avec la possibilité qu'il existe dans le réel telle ou telle situation particulièrement violente, qui déclencherait de formidables émotions, ces mécanismes se mettent à jouer, et nous trouvons préférable de penser qu'il s'agit d'un rêve.

A. C. - Oui, et vos rêves à vous, nous commençons à les connaître un peu, à travers votre œuvre.

F. A. - Et spécialement à travers les textes de *La pierre de la folie.* J'avais à ce moment-là décidé de transmettre l'univers de mes rêves nocturnes, et je dormais avec un papier et un crayon à côté de moi, pour pouvoir transcrire le rêve dès mon réveil. Et je crois que c'est un des livres que j'ai le moins retouché. Les Surréalistes ont voulu considérer cela comme un recueil de poèmes, mais j'en ai déjà parlé plus haut, et je ne veux pas le répéter.

Je n'en ai d'ailleurs pas fini avec la poésie. Ce ⟨
passe pour un créateur, c'est que par moments on épⁱ
des sentiments très partagés. Il y a tantôt la joie de lirє
a tantôt la joie d'écrire, mais il y a aussi une troisième
forme de joie qui consiste à se dire : « Et maintenant, je
vais faire autre chose ». Pour l'instant, je me trouve en
extase devant des poètes comme Neruda, Saint John Perse
et Gongora. J'en éprouve une telle joie que j'en perds
pratiquement le besoin d'écrire. Mais en même temps perce
la pointe du troisième sentiment, et j'ai la joie de penser :
« Peut-être que je pourrais me lancer dans cette nouvelle
forme de production ». Si j'arrivais à transmettre
l'émotion, l'exactitude du sentiment avec la rigueur d'un
Saint John Perse, j'en serais bouleversé. On ne peut rien
faire de mieux, on atteint à l'extase la plus totale. C'est
pourquoi je m'y suis essayé, en publiant quatre sonnets,
dont l'un dédié à ma femme, dans une revue espagnole,
intitulée *Siesta*.

Arrabal mystique essayant d'apprivoiser sa libido
Felez, 1967

Arrabal célébrant la cérémonie de la confusion
Arnaïz, 1964

Septième et dernier entretien :

VERS UNE NOUVELLE FORME DE PROVOCATION

A. B. - Vous nous parliez de votre amour des sonnets. Pourquoi avoir choisi entre toutes une forme de poésie aussi contraignante ?

F. A. - Qu'est-ce qu'on attend de moi ? Il y a toujours ce qu'on attend de moi et ce que je veux faire. On attendait des vers libres, désarticulés au possible, comme on s'imagine qu'il convient à un auteur d'avant-garde. C'est une raison de plus pour m'astreindre à une expression classique qu'on n'espère pas de ma part. Que dit-on de moi en Espagne ? On proclame que je suis fou, que je suis monstrueux, et, chose encore plus importante que ces deux affirmations, on me fait le reproche de porter un costume classique et un nœud papillon. Je cause la même intensité de surprise, le même agacement et la même obstination dans le refus qu'avant, alors que je m'habillais tout autrement.

Et si vous me permettez une petite anecdote : lorsque je suis retourné en Espagne pour la première fois, je portais des slips, comme tout le monde en porte maintenant. Mais en Espagne on portait des caleçons, les caleçons des soldats, blancs, ouverts par devant. Il se trouve que, par hasard, je ne sais comment, quelqu'un a su que je portais des slips de cette sorte. J'étais dans une piscine, j'avais mis à sécher un de ces slips, on m'a dit : « C'est celui de ta femme », et j'ai répondu : « Non, c'est le mien ». Et alors, le jour où j'ai été arrêté et mis en prison, le journal phalangiste a écrit : « Arrabal est en prison. C'est très bien ainsi. Que la punition soit sévère, car il promenait sous le nez des Espagnols sa folie, ses slips de femme, sa monstruosité et sa tuberculose ». Voilà ! Je veux bien être responsable des slips, mais, quant au reste, je n'y peux rien ! Ni à ce moment-là ni maintenant je ne me suis comporté en provocateur. Mais j'ai eu le sentiment de dire aux minorités, à tous ceux qui se sentent humiliés : « Non, vous n'êtes pas vaincus. Je suis comme vous. Nous ne sommes pas vaincus ! » Et donc, maintenant, lorsque je me présente à l'aéroport de Madrid vêtu comme je le suis habituellement depuis des années, avec un costume trois pièces impeccable et un nœud papillon, il est bien évident que cela est totalement inacceptable de la part d'un personnage comme moi, dont on attend qu'il se présente tout débraillé. Alors que, dans le même moment, il se trouve des députés espagnols pour assister en blue jeans à l'ouverture de la Chambre des Députés. Lorsqu'ils me voient, cela démolit tout leur système de critères et de références. Et moi, je trouve que là est la mission sacrée du créateur, du poète : marcher à contre-courant, pour se tenir près de ces minorités, politiques, sociales, sexuelles, culturelles, qui sont montrées du doigt.

A. C. - Bon, eh bien, à ce propos, pourriez-vous nous parler, dans un domaine qui reste voisin de celui-ci, de ces deux pièces de boulevard qu'on vous attribue et qui semblent, elles aussi, si inattendues de votre part, si peu arrabaliennes.

F. A. - On me les attribue à juste titre, puisqu'elles sont de moi ! Ce ne sont pas des pièces de boulevard, mais des vaudevilles : *Vole-moi un petit milliard* et *Le pastaga des loufs,* c'est-à-dire, pour ce deuxième titre, *L'apéritif des fous,* en argot. J'avais le sentiment, insupportable, que nous tous, les dramaturges, nous nous étions tacitement mis d'accord pour condamner solidairement, au coude-à-coude, une forme de théâtre bien définie, celle du vaudeville. Et je me suis dit : « Pourquoi continuerai-je à me faire le complice muet de cette réprobation universelle, mais imméritée ? Il est temps que je m'attelle à un vaudeville ! » Cela m'amusait, en outre, d'écrire dans ce style-là, comme on fait un devoir d'école, à seule fin de revendiquer une manière condamnée. J'ai publié ces vaudevilles sous le nom de Gérard Saint-Gilles. Mais je vais les remettre à mon nom, car cela m'amuse davantage. Ce qui a aussi contribué à mon inspiration et à ma décision, c'est une pièce de Françoise Dorin, *Le tournant,* dans laquelle on me met indirectement en cause. Indirectement, mais de façon très transparente pourtant. *Le tournant* nous présente sur la scène une jeune femme très belle qui se détourne de son mari, un auteur de boulevard aux énormes succès, pour s'intéresser aux auteurs d'avant-garde. Et elle rêve notamment d'un petit auteur barbu, avec un nom étranger, qu'elle finit par faire venir chez elle. Le petit auteur vient, et a le coup de foudre. Mais voilà que la porte d'entrée s'ouvre, en bas de la maison. « Ciel ! Mon mari ! » s'écrie la belle jeune femme. Le petit auteur d'avant-garde, qui n'a pas l'habitude de telles situations, demande ce qu'il faut faire en pareil cas et, comme dans les pièces du mari, il finit par se cacher dans le placard. Et voilà, le tour est joué. On laisse entendre, même si c'est d'une manière gracieuse, **papillonnante** d'abord que les auteurs de l'avant-garde ont les mêmes passions que ceux du boulevard, et ensuite que, s'ils font de l'avant-garde, c'est à leur corps défendant, parce qu'ils ne savent rien faire d'autre. Alors, j'ai voulu relever le défi. Je me suis mis à lire des vaudevilles, et j'ai découvert pour ma gouverne des choses intéressantes. Je me suis pris de sympathie pour ce que j'appelle la lignée des auteurs dostoïevskyens, dans laquelle figurent Courteline et Feydeau, qui nous présentent un monde émotionnel très émouvant, dans lequel ils prennent la défense de cette sorte d'opprimés

101

sexuels que sont les cocus. Mais Feydeau, des deux, est le moins émouvant et le plus technique, car il ne s'intéresse qu'à la péripétie. C'est pourquoi il m'a fasciné, par son souci de rigueur, par cette précision qui va jusqu'à quadriller la scène pour y localiser très précisément ses effets, qu'il minute montre en main. Voilà de la technique théâtrale pure, comme dans les auto-sacramentales de la tradition espagnole. Alors, j'ai décidé de faire un vaudeville dans sa plus grande expression. La pièce se passe aujourd'hui, dans le cadre de nos problèmes politiques, au milieu des querelles de partis, des divisions des groupuscules de l'extrême gauche. Puis j'en ai fait un autre, avec le résultat qu'on connaît, à savoir que la critique a été très favorable à cet inconnu total qu'était – et pour cause – Gérard Saint-Gilles. Par la suite, continuant mes recherches, je me suis rendu compte que le vaudeville avait été traité par les auteurs les plus inattendus, les plus cérébraux, ceux qu'on croirait les moins capables de donner dans ce genre. Pour ne citer qu'un nom : Heinrich von Kleist, ce dramaturge hautain qui s'inspire de Kant et de Rousseau, écrit une comédie qui est un vrai vaudeville, *La cruche cassée*. Il s'est amusé, comme je l'ai fait moi-même.

A. B. - Et avez-vous découvert des mécanismes intéressants dans le vaudeville ?

F. A. - Le genre tout entier me semble dominé par deux grandes lois. La première est celle du quiproquo, où l'on prend un personnage pour un autre, ce qui permet au bénéficiaire de cette méprise d'apprendre ce qu'il n'aurait jamais dû savoir. Et si au premier quiproquo s'en ajoute un second, alors la pièce court sur des roulettes, jusqu'au bout, chaque réplique ajoutant au quiproquo initial. La deuxième recette, c'est l'apparition inopportune du personnage dont tous les autres souhaitent précisément l'absence ou l'éloignement à ce moment-là. Et lorsqu'il survient c'est toujours au pire moment, dans des circonstances qui embrouillent épouvantablement les cartes. Ajoutons que, dans le cas de Feydeau, certains de ses sujets sont d'une étonnante modernité. *On purge Bébé,* par exemple, est d'une saleté repoussante. On passe tout son temps à essayer de purger Bébé. Mais c'est la vie, c'est un sujet d'avant-garde !

Je voudrais dire aussi qu'à peu près dans le temps où je donnais ces vaudevilles, et sans que nous nous soyons donné le mot le moins du monde, mon ami le dramaturge et cinéaste Topor (qui est avant tout un grand dessinateur, comme chacun sait) s'est mis en tête de créer lui aussi une pièce légère. Ça s'appelle *Vinci avait raison,* et ça tourne autour d'un sujet très abominable, où il est sans cesse question des waters qui sont bouchés. Vous voyez qu'en un sens on n'est pas très loin d'*On purge Bébé.* Ça finit très mal chez Topor, et on tue tout le monde à la fin, mais c'est toujours très drôle. La pièce a été créée en Belgique, où je dois dire qu'elle a causé une certaine émotion. En ce qui me concerne, on vient de m'apprendre que *Vole-moi un petit milliard* continue sa carrière, et de façon très honorable : on a joué la pièce à Munich, dans une soirée de gala, en présence des autorités de la République Fédérale Allemande.

A. B. - Vous avez affirmé dans un article sur « le nouveau nouveau théâtre » que la parole retournait au théâtre après s'en être éloignée pendant plus de vingt ans. Si bien qu'au théâtre du geste succède maintenant un théâtre marqué par un renouveau verbal très important...

F. A. - Oui, du moins c'est ce que je crois avoir remarqué, et je crois aussi avoir été le premier à le dire. Mais je ne veux pas jouer les prophètes, et seul l'avenir pourra trancher.

A. C. - Et vos préoccupations actuelles, que sont-elles ? Il m'avait semblé que vous portiez un intérêt de plus en plus vif aux problèmes de l'Inquisition, qui ne sont pas nouveaux pour vous, loin de là, mais que vous voyez maintenant d'une manière plus approfondie, avec un luxe de détails historiques et de considérations de couleur locale.

F. A. - Ce que je trouve de très extraordinaire, c'est le contraste entre l'influence énorme de l'Inquisition en Espagne et la consigne de silence dont elle s'entoure. Il est étrange que les Espagnols d'après Marquez se soient si peu intéressés à l'Inquisition et que les plus grands livres sur elle aient été le fait d'étrangers à l'Espagne, ou d'Espagnols exilés. Les grands manuels de l'Inquisition eux-mêmes ne sont pas espagnols : *Le marteau des sorcières* a été écrit par un Allemand. Là encore, il y aurait mille choses à considérer : pourquoi la chasse aux sorcières, plutôt qu'aux sorciers ? Il faudrait consulter de plus près les archives et les documents historiques, mais je suis déjà presque certain qu'il y eut là, de propos délibéré de la part de l'Inquisition, une sorte de tentative de génocide sexuel : les évêques n'en finissaient pas de faire payer aux femmes la trahison de leur lointaine aïeule, Eve. Et qu'il y ait aujourd'hui encore, dans ce domaine ou dans d'autres, des séquelles du régime inquisitorial, cela me semble évident. Si l'Espagne n'a toujours pas reconnu officiellement l'existence de l'état d'Israël, on est bien forcé de conclure à une attitude copiée sur celle de l'Inquisition, créée au XIIe siècle pour lutter autant et plus contre les Juifs que contre les hérésies. Qu'avec son contentieux l'Espagne ne reconnaisse pas Israël, c'est un acte d'une énorme hostilité.

A. C. - Il serait temps que nous en arrivions au cinéma. Voulez-vous nous expliquer comment s'est éveillée votre vocation cinématographique ? Je sais que vous avez commencé comme acteur avec de petits rôles, comme dans *Qui êtes-vous Polly Magoo ?*

F. A. - Non, cela est venu plus tard. J'ai commencé par faire un film — qui doit être plus ou moins introuvable aujourd'hui — dont j'étais à la fois l'acteur principal et le scénariste. Ce film aurait pu faire partie des *Fêtes et Rites de la Confusion.* Il date des années 59-60, et s'intitule *Le voleur de rêves.* C'est l'histoire d'un homme, moi en l'occurrence qui, armé d'un grand clou et d'un marteau, profite du sommeil des gens pour leur faire un trou dans le cerveau, y mettre une paille et aspirer comme un sorbet toute la matière cervicale. Après quoi cet homme se couche, l'air extasié, et jouit des rêves de la personne dont il a dégusté la cervelle. Jouant le rôle de ce voleur, je jouis ainsi des rêves de trois personnes différentes. C'est la partie la plus belle du film, car ces rêves sont constitués par des scènes fixes, empruntées à des tableaux de Jérôme Bosch. Je crois me souvenir que le premier rêve était érotique, le second un rêve d'Enfer, et le troisième un rêve d'Inquisition. Mais, lorsque les trois rêves sont finis, mes trois victimes se révoltent et veulent me faire subir le même traitement que celui que je leur ai infligé. Je suis toujours avec un chapeau melon, d'un bout à l'autre du film. Et lorsque mes trois victimes me terrassent et m'enlèvent mon chapeau, ils s'aperçoivent à leur grande horreur qu'il n'y a rien dessous. Toute la partie supérieure de ma calotte crânienne est absente, c'est le vide, je n'ai pas de cervelle à moi. Je ne connais plus de ce film qu'un seul exemplaire, tourné en super-huit, qui se trouve en Espagne, chez un de mes amis. On en avait bien tenté la reproduction pour en faire bénéficier la Semaine du Cinéma d'Arrabal, à Nice, il y a deux ans, où l'on avait passé tous mes films. Mais cette reproduction était épouvantable. Suivant ce premier film, il y en eut un second, qui n'est pas signé de moi, mais du producteur qui allait être celui de *Viva la Muerte.* Il était venu chez moi pour tourner un moyen métrage d'une demi-heure environ, intitulé *Arrabal.* Quoique signé Poitreneau, ce film n'en porte pas moins ma marque, et très fortement. C'est un film à la fois très commercial et très surréaliste. C'est après cela que j'ai participé comme acteur à *Qui êtes-vous Polly Magoo ?*

A. C. - On vous voit aussi dans l'adaptation tournée à Lyon du *Grand cérémonial,* par Jolivet. Le rôle féminin principal y était tenu par Violette Leduc.

F. A. - Oui, j'étais ce jour-là sur les lieux du tournage, et on me voit avec une femme dans une boutique, mais c'est tout. Par la suite, alors que j'étais en prison, Alexandro Jodorowsky m'a écrit pour me demander l'autorisation d'adapter à l'écran *Fando et Lis.* Il en est résulté un très beau film. Après quoi, je me suis dit que je pourrais peut-être faire de moi-même quelque chose qui soit aussi bien. D'autant plus que je nourrissais un sujet depuis longtemps : l'accession du régime de 1936 au pouvoir, et l'incidence de cette prise de pouvoir sur la vie d'un petit garçon, en entraînant la mort de son père. Bref, le sujet de *Baal-Babylone,* qui changea de titre et devint pour le cinéma *Viva la muerte.*

A. B. - Je me souviens qu'à un moment donné vous pensiez écrire un roman qui s'intitulerait *L'arbre de Guernica.* Or ce fut un film. Y a-t-il donc un rapport entre le roman et le cinéma, au moins en ce qui touche au choix des sujets ?

F. A. - Non, je ne crois pas, puisque, dans *J'irai comme un cheval fou,* je reprends une bonne part des thèmes de *L'architecte* qui est une pièce de théâtre et non pas un roman. On y retrouve d'ailleurs aussi, à mes yeux du moins, une partie de l'atmosphère de cette autre pièce qui est *Les deux bourreaux.*

De toute façon, il faut tenir compte, pour le cinéma, de ce que disait Renoir : « Si j'avais passé à la préparation d'un film autant de temps que j'en ai consacré à sa réalisation, j'aurais fait une œuvre très considérable ». Ce qui est rébarbatif dans le cinéma, c'est le temps que les producteurs demandent à l'auteur. Si je les écoutais, je passerais le reste de ma vie à la production du film qu'ils dirigent. Déjà, le travail préliminaire d'un film demande un minimum de six mois d'attention continue, après il y a la préparation proprement dite, puis le tournage, et tout cela prend encore six autres mois, ce qui arrête totalement la vie d'un artiste pendant un an au mieux, un an et demi ou deux ans dès que les choses ne vont pas aussi bien qu'on l'espérait. Et cela pour un film des plus modestes. Ne parlons pas des super-productions, des films d'un Fellini ou de ceux d'un Bergman. J'imagine que des cinéastes comme eux passent le plus clair de leur temps à la poursuite des conditions économiques et techniques nécessaires à la sortie de leurs films. Non, il n'y a guère qu'un moment qui soit très excitant dans le cinéma, c'est celui du montage. Alors là, c'est passionnant, l'artiste se trouve seul devant sa pellicule, et il fait ce qu'il veut. Tout au moins c'est mon cas à moi, car je n'ai jamais eu à subir à ce niveau-là la moindre pression de la part des producteurs ou des distributeurs, dans aucun des trois films réalisés jusqu'ici, que ce soit *Viva la muerte*, ou *J'irai comme un cheval fou*, ou *L'arbre de Guernica*.

A. B. - Nous voici donc arrivés à *Viva la muerte*. Comment vous êtes-vous décidé à entrer pour de bon, avec ce film, dans cet univers si particulier du cinéma ?

F. A. - Je vous ai dit tout à l'heure combien je chérissais ce sujet. J'ai eu très envie de laisser une version définitive, *ne varietur*, de ce foisonnement de souvenirs, d'images qui me hantaient et qui avaient formé mon enfance. Alors, j'ai saisi la chance de le faire quand cette chance s'est présentée. Mais mon meilleur film, à mon avis, c'est *J'irai comme un cheval fou*. J'aime bien le support du film, c'est-à-dire ce thème qui le sous-tend du début à la fin : quels sont les rapports possibles entre l'homme dit civilisé et l'homme de nature ? J'ai donné une forme à ces rapports et, en même temps, j'ai dépeint aussi les relations du héros avec sa mère, et j'ai défini dans ce film les

107

modalités de la rupture nécessaire avec la mère. Il faudrait peut-être aller jusqu'à dire avec la maternité. Et comme d'habitude, il y a beaucoup de choses qui finissent par influencer le déroulement du film au jour le jour. L'apport personnel de l'acteur principal — celui qui joue le personnage de nature, équivalent au rôle de l'Architecte dans *L'Architecte et l'Empereur d'Assyrie* — fut absolument déterminant. Ce garçon, qui joue ce film, ne sait pas quel est exactement son rôle au départ, mais il le crée au fur et à mesure, dans une véritable ferveur.

A. C. - Et enfin vint *L'arbre de Guernica.*

F. A. - Oui, grande fresque de la guerre civile en Espagne, mais vue du côté des vaincus. C'est toujours la même chose, il s'agit toujours de leur dire : « Mais non, vous n'êtes pas des vaincus, vous n'avez pas une âme de vaincus ! » J'avais donc pour *L'arbre de Guernica* de puissantes motivations. Je parlais pour des gens qui pendant trente ans n'avaient pas eu le droit d'ouvrir la bouche.

A. C. - Ici, j'aimerais vous poser la question du lieu où se situe l'action. Quel est le modèle réel de ce site de Villa Ramiro, dont on retrouve le nom aussi bien dans *Baal-Babylone* que dans *La tour de Babel ?*

F. A. - Villa Ramiro est un site quelque peu mythique, mais qui évoque pour moi quelque chose de très réel. Lorsqu'on me définit, en Espagne, comme une espèce de métèque venant de Melilla, on me fait de la peine, mais il faut bien dire que Melilla, pour moi, ce n'est guère plus que deux ou trois paysages de cartes postales, en liaison avec deux ou trois images fortes qui me rappellent mon père. En effet, j'ai quitté Melilla à l'âge de quatre ans, pour aller vivre à Villa Rodrigo, où je resterai jusqu'à l'âge de dix ans, et d'où je garde des souvenirs très vifs et très touchants. Alors, j'ai dit Villa Ramiro par pudeur, pour ne pas dire carrément Villa Rodrigo. C'est à la fois une sorte de Paradis et une sorte d'Enfer qui me reviennent du même coup à la mémoire. Villa Rodrigo est un village à la frontière du Portugal, et il a été pris en mains tout de suite par les franquistes. Donc, du point de vue historique, ça ne tient pas, ça ne peut pas être le Villa Ramiro du film, qui fait une longue résistance. Mais du point de vue géographique, du point de vue social, ça marche assez bien, car il y a beaucoup d'analogies entre le Villa Ramiro mythique et le Villa Rodrigo de mes souvenirs.

A. B. - Oui, bien sûr, mais, à côté de ce phénomène de sublimation, le film fait aussi une allusion directe à la défense de Madrid par les Républicains, avec tous les slogans politiques et patriotiques, avec les milices populaires.

F. A. - Oui ! Ce qui me passionnait dans la défense de Madrid, c'est ce caractère héroïque, qui passera à la postérité et alimentera de futures images d'Epinal. On voit là en quelque sorte naître un mythe. Il y a dans tous les pays de ces légendes ancestrales, à propos de villes qui sont restées dans l'Histoire parce qu'elles avaient résisté farouchement, alors qu'elles étaient encerclées par « l'ennemi », même s'il faut mettre ce mot entre guillemets. En Espagne, nous avions déjà Numance, dont la légende a inspiré le plus beau des drames de Cervantès. En ce qui me concerne, Madrid, sublimé par le souvenir, entre en relations avec une série d'éléments très positifs dans ma vie affective et intellectuelle. Je n'ai pas connu du tout la défense de Madrid, tout comme je n'ai pas connu mon père. Comme je n'ai pas été confronté à la réalité, elle ne peut se présenter à moi que sous la forme d'une reconstitution d'événements sublimés, agrandis, merveilleux, et c'est cela que j'ai voulu transmettre : une image telle que je la voyais, plutôt qu'un film vraiment historique. Notez bien que je ne méprise pas l'histoire, que je la connais et que je l'utilise. Il y a eu des gens qui ont travaillé pour moi à compulser des documents, à amasser tous les éléments dont j'avais besoin. Et moi-même, pendant six mois, je n'ai rien fait d'autre que de classer des dossiers d'archives datant de cette époque de la guerre civile. Beaucoup de ces archives sont chez moi, et j'y ai retrouvé certaines choses dont je suppose que je suis le seul au monde à y avoir accès maintenant, des films de la Passionaria par exemple. Par ailleurs je me suis rendu chez Gaumont et j'ai demandé à voir tout ce qu'ils avaient conservé comme *Actualités* traitant de la guerre civile espagnole. J'en ai fait un montage, qui durait une heure et quart. Ce montage m'a permis de voir la guerre, je ne dirai pas telle qu'elle s'est passée, mais telle au moins que la décrit le cinéma documentaire de l'époque. De tout ce travail, il n'est finalement resté dans mon propre film que bien peu de choses. Je crois qu'on y retrouve en tout deux minutes de passages d'actualité authentique. Mais cela n'empêche pas que toutes ces recherches m'ont fourni une atmosphère d'authenticité, si bien que l'imaginaire du film s'est trouvé amené sans écueils, nourri qu'il était d'une base solide, d'un fondement historique précis et réel.

A. B. - Entre théâtre et cinéma, il y a donc une sorte de passerelle sur laquelle vous vous tenez et vous évoluez, il y a des échanges de procédés techniques, un certain enrichissement mutuel, je suppose.

F. A. - Le passage du théâtre au cinéma s'est effectivement traduit par un enrichissement de mes méthodes, mais une fois de plus je souligne que j'ai tenu à rester à contre-courant. Je me suis mis à la place des gens et j'ai tenu le raisonnement suivant : « On sait que je suis un homme de théâtre. On attend donc de moi plus ou moins du théâtre filmé, on attend que je soigne les dialogues du film ». Alors, j'ai fait le contraire de ce qu'on attendait. Observez que, dans mes films, il y a peu de dialogues. J'ai essayé de remplacer la parole par l'image. D'ailleurs, c'est ça que je voulais ! Au cinéma, c'est l'image qui est percutante, c'est elle qui transmet le mieux le message, et qui en dit le plus !

110

A. C. - Il y a en effet dans *L'arbre de Guernica* des trouvailles techniques fort efficaces et qui font grand effet sur les spectateurs. Je pense par exemple à ces salves d'applaudissements qui, sur la fin du film, accompagnent la mise à mort des nains. On dirait, tant elles partent brusquement et s'arrêtent brusquement, des salves de mousquetterie, ou des feux de peloton coupés net.

F. A. - Oui, mais je voudrais souligner un paradoxe : les trouvailles techniques, comme vous dites, naissent surtout de l'inexpérience. Ne connaissant rien au cinéma, lorsque je l'abordais pour la première fois avec *Viva la muerte*, j'ai osé demander à l'équipe des techniciens un tas de choses qu'un metteur en scène mieux averti des possibilités et des impossibilités techniques aurait écartées d'emblée. Par exemple : il y a dans *Viva la muerte* un moment fort où le jeune garçon qui tient mon rôle, tuberculeux comme moi, vomit du sang jusque sur l'écran. Ça me paraissait très simple à réaliser, et j'ai voulu faire ce à quoi vous auriez pensé vous-mêmes, j'ai voulu que le jeune acteur vomisse sur la caméra en fonctionnement, pour que l'appareil enregistre l'image du vomissement venant sur lui. Mais qu'est-ce que je demandais là ! Tout le monde s'est récrié qu'il y aurait des taches partout sur l'objectif, sur le caméraman, qu'on ne pourrait pas essuyer ensuite les lentilles assez bien, etc... Pourtant, comme il règne pendant le tournage un esprit de collaboration très étroit, les techniciens se sont piqués au jeu, et se sont demandés comment ils pourraient malgré tout me satisfaire. Et finalement quelqu'un a trouvé la bonne méthode, qui consistait à tourner toute la scène derrière une vitre interposée entre la caméra et l'acteur, qui pouvait dès lors vomir sans dommage tout contre la vitre, sans rien éclabousser. Vous voyez, la virginité du néo-réalisateur apporte beaucoup d'audaces au cinéma. C'est le cas, en ce moment, des films de Marguerite Duras.

A. B. - Dans vos dernières créations au théâtre, on peut remarquer un héritage du film sous la forme de ce fourmillement de personnages, qui rappelle le grouillement de masse sur l'écran. Je crois que la critique s'en est aperçue lors des représentations de *La tour de Babel,* à Bruxelles et à Sao Paulo. La scène des morts qu'on passe en revue, qui soudain se dressent et abandonnent leur tombeau, c'est tout à fait du cinéma. Si bien qu'il me semble que vous en êtes arrivé maintenant à une interpénétration assez importante des deux genres. Vos productions actuelles ont une certaine tendance à la mixité. Le théâtre bénéficie des apports du cinéma, et inversement, puisqu'au fur et à mesure, de *Viva la muerte* à *L'arbre de Guernica,* on constate malgré tout une progression des dialogues, qui gagnent en importance.

F. A. - Oui. Mais ce que j'aimerais faire maintenant, c'est écrire de la poésie. Ecrire un vers qu'on trouve beau et qui vous remplit de joie au point de vous transporter totalement, c'est fantastique ! D'ailleurs, j'ai fait une expérience assez curieuse, que je vais rapporter ici, au risque de paraître très prétentieux. Il arrive à ma femme de se réciter à elle-même, ou de me relire de courts passages de mon théâtre, parfois réduits à une phrase ou deux. Des phrases qu'elle aime. De les isoler comme cela, de les couper de leur contexte, ça leur donne beaucoup de force. Alors, parfois je me dis : « Pourquoi ne pas en faire tout simplement un poème, dans les règles de l'art, en y introduisant la rime et le rythme ? » Je lis aussi très souvent des poèmes de Pablo Neruda qui, avant de devenir un militant, avait été un poète prodigieux. Et c'est une grande leçon pour moi que de lire ce grand poète avant et après son engagement politique. Dès qu'un poète se mêle de militer activement, c'est terrible ! Et ce qui est vrai pour Neruda l'est aussi, soit dit en passant, pour des poètes de langue française comme Eluard et surtout Aragon.

A. C. - Autrement dit, selon vous, le poète devrait se garder comme de la peste de toute appartenance active à un parti, ou même de toute action politique, et se consacrer exclusivement à son écriture.

F. A. - Oui, parce que je trouve que c'est là qu'il est militant, dans son écriture, dans son originalité d'artiste. Je ne connais qu'une exception à cette règle, et c'est Picasso, qui a réussi à militer dans un parti sans altérer son talent.

A. C. - Avez-vous l'impression qu'il y a là un danger qui vous guette ? Etes-vous tenté de militer activement ?

F. A. - C'est un danger qui nous guette tous, nous autres artistes. Nous sommes poussés à l'engagement par notre complexe de culpabilité. On finit par se sentir coupable d'avoir cette maison, de vivre dans ce jardin où chantent ces oiseaux, de posséder quelque savoir et de jouir de sa propre inspiration. On se dit que c'est injuste, qu'il faut en quelque sorte expier tout cela et le compenser par le militantisme. Alors qu'en réalité c'est quand on se met à militer qu'on cesse d'être utile. Parce que ce complexe de culpabilité ne s'efface jamais tout à fait, mais que la meilleure façon d'en tirer parti, à mes yeux, c'est d'essayer de faire partager aux autres la richesse intérieure, l'originalité de la vision, qui demeure unique. Et cela se fait par l'intermédiaire de la création, qui donne à voir aux autres ce qu'ils ne pourraient jamais voir par eux-mêmes s'il n'y avait pas l'artiste.

A. C. - Il faudrait, dans ce tour d'horizon qui s'achève, et pour ne laisser dans l'ombre aucune de vos activités, parler un peu maintenant de votre goût pour la peinture.

F. A. - Oh, nous en avons déjà parlé en fait, puisque le cinéma ce n'est jamais que de la peinture en mouvement ! Mais vous voulez sans doute que je vous en dise davantage. Ce qui a eu beaucoup d'importance pour moi à ce sujet, c'est le Musée du Prado à Madrid. Il suffit de lire mes pièces pour mesurer le degré de fascination qu'il a eu sur moi, à travers les tableaux de Jérôme Bosch et de Goya. Jérôme Bosch surtout est pour moi un peintre capital. Mais en face de l'un comme de l'autre, j'ai toujours éprouvé ce même sentiment de contempler quelque chose qui dépassait l'art et de me trouver en face de dynamiteurs du cerveau.

A. C. - Et pourtant, Bosch demeure un peintre ésotérique, un peu en marge de la grande tradition picturale, plus académique, plus reposante, dont se repaissent habituellement la plupart des peintres et la plupart des musées. Et je crois qu'il faudrait souligner l'intérêt de cette curieuse expression dont vous vous êtes servi de *dynamiteurs de cerveau*.

F. A. - Oh, je ne fais pas de style, je dis simplement quelque chose qui m'est arrivé ! J'allais au Prado, je me plantais devant *Le jardin des Délices* et je sortais de là avec la tête en éclats, au bord de l'évanouissement. Ce tableau me faisait peur, m'intriguait, était une leçon pour moi, une menace également, sexuellement troublante par dessus le marché, enfin tout cela m'introduisait dans un autre monde, moitié Enfer, moitié Paradis. Et, vous savez, il paraît que Bosch ne s'intéressait à la peinture que d'une façon assez relative, pour transmettre un message mystique qui lui semblait beaucoup plus important que son support pictural. Je crois qu'on peut diviser l'humanité en deux catégories. Il y a les gens qui sont très contents du monde dans lequel ils vivent, et qui, du coup, éprouvent une sorte de tristesse mélancolique à l'idée qu'il a peut-être existé autrefois un monde encore meilleur. C'était l'âge d'or, ou c'était la Belle Epoque, on a le sentiment d'avoir perdu cela, et ce sentiment permet aux gens de jouir de leurs richesses présentes d'une façon étonnante ! Et puis, il y a une autre catégorie d'êtres, qui sont le contraire. Menant une vie dure, pour des raisons économiques, ou philosophiques, ou simplement par choix personnel, ils se créent un mythe d'avenir rayonnant. C'est, entre parenthèses, le fameux mythe des lendemains qui chantent qui a été ressuscité de nos jours par certains militants politiques. Et Jérôme Bosch faisait visiblement partie de cette seconde catégorie : c'était un homme passionné et le monde ne le comblait pas. Il est donc entré de lui-même dans un des mouvements militants de son époque — mais en ce temps-là on ne voyait pas les choses en termes de lendemain — et il a pensé que dans mille ans ça irait mieux, que dans mille ans ce serait le Paradis. Il y avait une secte qui croyait cela, et on appelait les gens de cette sorte des *Millénaristes*. Et Bosch le décrit, ce Paradis sur terre. On le voit dans *Le jardin des Délices,* ce rêve de bonheur, symbolisé par la fontaine de jouvence où s'ébattent de merveilleuses femmes nues.

A. C. - Ce qui n'empêche pas qu'il y ait aussi des choses très effrayantes dans cette même fontaine, toute hérissée de coquilles piquantes. Il y a aussi l'homme au rat, qui regarde à travers la vitre de sa prison de verre. Ce n'est pas forcément agréable...

F. A. - Non, non, je ne suis pas de cet avis ! Il faut comprendre que Bosch, en peignant ou en regardant son tableau, se donne de grandes émotions. Il est en train de vivre intensément. Moi je dis qu'on ne peut savoir ce que fait Bosch, où il est quand il peint. Est-ce qu'il se voit en train de peindre l'homme au rat, est-ce qu'il est l'homme au rat, est-ce qu'il se baigne avec les femmes nues, on n'en sait rien. De toute façon, s'il regarde son homme au rat dans sa prison, il vit une expérience très intense.

Pour vous faire comprendre cela : je suis allé au Brésil, où la religion qui prime, ce n'est pas la religion catholique, c'est la *macumba,* dont les églises se situent toutes dans des *favellas,* très pauvres, c'est-à-dire qu'on se trouve en présence de patios espagnols, à la mode latino-américaine, des patios très très pauvres, dans lesquels il y a des niches contenant chacune un saint, devant qui brûlent des bougies, tout cela tout caché. Et tout d'un coup, au milieu de votre séjour, parmi ces gens adorables qui vous entourent, on vous prévient qu'il y a un prisonnier, et que ce prisonnier est là pour un minimum de trois semaines. Ça peut être une femme, ça peut être un homme. Lorsque j'y étais, c'était un homme. Prisonnier volontaire, mais prisonnier quand même ! Et ne connaissant pas la durée de sa peine ! Et lorsque j'ai questionné le pasteur de cette petite communauté très pauvre dont je parle en ce moment, en lui demandant : « Mais combien de temps cet homme va-t-il rester prisonnier ? », il m'a répondu : « Un minimum de trois semaines, comme d'habitude, mais ça peut aussi durer des années. Ce sont les saints qui vont décider ». Et cet homme est resté là, on lui donne à manger à la cuillère et, à trois heures du matin, le Père et la Mère de la communauté le lavent. Eh bien, la sensation d'avoir ce prisonnier, là, ça provoquait chez moi une tension, sensuelle et sexuelle, coupable probablement, mais extrême. Alors, je ne sais pas comment se situe Jérôme Bosch. Est-ce qu'il est Sade ou est-ce qu'il est Justine ? C'est là tout le charme, c'est là toute l'importance !...

Dans ce monde de la religion *macumba,* je voyais des parallèles incroyables. C'est une religion africaine, imbriquée dans le catholicisme au point qu'on vous indique, comme dans un horoscope, les saints qui sont les vôtres, et qui sont des saints très connus dans la tradition catholique romaine. Et vous pouvez ensuite aller voir vos saints. Moi par exemple, j'ai demandé à voir Saint Lazare, qui était un de mes saints. Et on m'a dirigé vers une courette sale, entourée de niches qui en Europe seraient des niches à chiens, fermées par des portes. On ouvre la porte et on voit Saint Lazare. En fait, il avait, ce Saint Lazare, un nom africain, mais je l'ai reconnu à sa légende, analogue à la nôtre, et je me suis rendu compte que c'était Saint Lazare.

Il était à l'intérieur de la niche, avec des épis de maïs, une assiette d'eau et beaucoup de bougies. Il y a d'autres lieux pour de petits autels fabriqués un peu comme des crèches, mais très primitives, avec un mélange de choses très très belles, typiquement de là-bas, et de choses de drug-store pauvre. Et dans l'une de ces niches disposées tout autour de la cour il y a le prisonnier. Il est là parce qu'il n'est pas bien dans sa peau, qu'il veut se régénérer, et qu'il y parviendra par cette épreuve de l'attente, à la fin de laquelle on lui rasera la tête. Et ce qui m'a paru extraordinaire, ce qui montre aussi l'étendue des possibilités dans les religions, qui finissent par couvrir tout l'éventail des comportements humains, c'est que dans la macumba et les religions qui en sont dérivées, le Père ne peut être qu'une Mère, c'est-à-dire une femme, ou bien alors un homosexuel, mais pas caché, ni honteux, non, un homosexuel déclaré.

A. C. - L'homosexualité semble vous fasciner.

F. A. - Oui, elle me fascine, et tout d'abord parce qu'en Espagne c'était le Mal, comme le communisme et comme la franc-maçonnerie. Les homosexuels espagnols ont donc exercé sur moi la fascination que je subis devant toute minorité persécutée. En second lieu, il y a là pour moi une tentation, comme la drogue et le jeu. Je ne veux pas m'y abandonner parce que je suis convaincu que si je m'y laissais aller une fois, ce serait ensuite pour toujours. Ces mondes de la drogue, du jeu et de l'homosexualité doivent être si séduisants, si forts qu'on ne peut y renoncer une fois qu'on y a été initié. C'est pourquoi je me suis toujours refusé à l'initiation. Peut-être que je suis en train de rater une vie homosexuelle passionnante, mais en tout cas, si je la rate, c'est volontairement. Pour le jeu, c'est un peu différent, car j'ai trouvé un vaccin pour le jeu, qui m'en procure les émotions mais non les risques. J'ai des amis, aussi sages que moi, avec qui je joue au poker dans des limites financières absolument minables, à raison de cent francs par soirée. Nous ne risquons que des doses homéopathiques.

A. C. - Ainsi vous maintenez-vous à contre-courant de votre propre image. On imagine couramment un Arrabal extraordinaire, champion de toutes les audaces, de toutes les immoralités, alors que, finalement, dans votre vie réelle, vous avez des habitudes assez bourgeoises, et vivez selon l'expression consacrée en bon père de famille.

F. A. - Oui, on me condamne volontiers pour des vices que je n'ai jamais eus. Mais, ce qui est pire, c'est que bien souvent j'ai eu l'occasion de connaître par la suite la vie de ceux qui me reprochaient ces turpitudes imaginaires et qui m'exhortaient au bien. Or leur vie n'avait la plupart du temps rien à voir avec les normes qu'ils me proposaient ! Non, je préfère garder tout un trésor d'expériences défendues — défendues parce que je me les interdis à moi-même — qui m'apparaissent d'autant plus désirables que je ne les connais pas. Je suis beaucoup plus fasciné par la messe noire que les vrais hérétiques. Je suis beaucoup plus fasciné par l'homosexualité que les vrais homosexuels ! C'est comme aux échecs, où la menace est plus forte que son exécution : le désir est plus fort que son assouvissement. Car après l'assouvissement, il n'y a plus rien à en attendre !

A. C. - Mais je vois une autre tentation, dont vous ne parlez pas, à moins que ce ne soit finalement la même, si on va au fond des choses. C'est la tentation de l'instable, de l'inachevé, du texte toujours mouvant. Molière travaillait souvent sur un simple canevas, et on improvisait là autour. Est-ce que vous n'êtes pas souvent tenté de faire la même chose que lui ?

F. A. - Ce que je peux dire ici, c'est que, si le texte peut accepter certaines transformations, il y a surtout des limites à ne pas dépasser. Ce qu'il y a de plus intolérable, c'est qu'on rajoute abusivement du texte, pour faire dire à l'auteur des choses auxquelles il n'a jamais pensé ! Et puis, il y a autre chose : cela devient une habitude de s'emparer d'un texte qui a été écrit dans une certaine optique et de le monter, de le mettre en scène, d'une façon telle que ce texte finira par signifier le contraire de ce que son auteur y a mis ! C'est là une pratique indécente, car on ne peut passer outre à la pensée d'un écrivain ! Ce que je voudrais éviter surtout, c'est que quelqu'un puisse se dire : « Puisqu'Arrabal n'y regarde pas de si près, et qu'il nous donne cette liberté de l'interpréter, allons-y gaiement ! » Vous voyez ça d'ici ! Imaginez par exemple une troupe chilienne financée par un quelconque soutien du régime du général Pinochet, et tournant *Bella Ciao* à l'éloge du fascisme ! Que les choses soient bien nettes : je ne permettrai jamais qu'on me représente dans une optique qui ne soit pas fondamentalement la mienne, et mon optique a toujours été anti-totalitaire, anti-dogmatique, anti-fasciste.

A. C. - Et cependant, il y a eu, tout récemment, cet incident de représentation à Barcelone, où *L'Architecte* fut précisément représenté avec une finale ajoutée, qui n'est pas de vous et dont on peut penser qu'elle altère la signification artistique de la pièce. Comment réagissez-vous ?

F. A. - Ah, vous savez, il ne faut rien dramatiser dans ce cas. Pour l'Espagne, je suis quasiment un écrivain étranger, en ce sens que me voici exilé en France depuis vingt-deux ans et que je ne quitterai peut-être même plus ce pays, qui m'a si bien accueilli. De l'ancien régime espagnol, j'ai reçu le seul hommage que pouvait en recevoir un poète, c'est-à-dire la censure totale, la calomnie et l'insulte. Alors, lorsque le régime a évolué ces derniers temps vers une certaine démocratie, les amis que j'ai là-bas ont travaillé pour qu'on lève cette censure totale, et que mon théâtre puisse enfin être connu dans mon pays. J'aurais mauvaise grâce à m'en plaindre, d'autant plus qu'on a joué en Espagne un excellent choix de mes pièces, avec *L'architecte, La tour de Babel* et le *Cimetière des voitures*. Ces deux dernières pièces ont été remarquables, mais il y a eu un faux pas dans la représentation de *L'Architecte* ; on a ajouté à la fin une chanson ridicule, que je n'approuve pas. Mais cela s'explique assez bien par les traditions de la scène espagnole. Il y a toujours eu là-bas de grands acteurs, très connus, ou de grands metteurs en scène, qui ne se sont jamais privés d'adapter pour la scène espagnole des pièces étrangères, même contemporaines, en changeant les situations, le nom des personnages, l'atmosphère, en rajoutant du texte pour faire plus drôle, en y glissant des allusions politiques. Au fond, on m'a considéré comme un auteur étranger, et on m'a adapté à l'espagnole. On a rajouté des passages qui, là-bas, étaient des passages d'actualité, et à la fin on a fait appel à un chanteur très connu, et on l'a chargé de composer un boléro pour finir en beauté, non pas pour dénaturer ma pièce, mais dans l'intention louable en soi d'attirer davantage de spectateurs. Je n'accorde pas une importance excessive à cet incident de Barcelone. Mes pièces se jouent tous les jours dans le monde entier. Je ne peux pas être derrière chaque acteur, derrière chaque metteur en scène. Je suis obligé de leur faire confiance.

A. C. - Et pensez-vous que l'idéal ce serait maintenant d'être vous-même le metteur en scène de vos nouvelles pièces ?

F. A. - Non, pas forcément ! Et pas toujours ! Mais ce que j'aimerais maintenant, c'est donner une première version, faire moi-même la première mise en scène, dans laquelle mes intentions apparaîtraient aussi clairement que je puis les montrer. Ainsi pourrait-on déterminer ce que j'ai appelé plus haut « l'optique » de l'auteur. Après quoi il y aura d'autres mises en scène, quantité d'autres. S'inspirer, ce n'est pas copier. Mais l'optique sera très claire.

Ce qu'il faudra peut-être faire un jour, c'est comparer trois mises en scène à moi, réalisées pour *La tour de Babel*. On verrait ainsi que les transformations obéissent à l'apport financier, à la configuration du théâtre et à la nature profonde des acteurs. A Bruxelles, j'avais peu de moyens financiers, un théâtre petit et bas de plafond, une actrice principale dotée d'une petite ironie aristocratique impossible à éliminer. Cela a donné par moments des passages très charmants. Quant aux décors, je ne m'en suis chargé que parce que je n'avais pas de décorateur. Au Brésil, c'était le contraire : un effort financier considérable — je dirais même héroïque, puisque la productrice avait hypothéqué sa maison pour pouvoir monter le spectacle dans toute sa splendeur. Je me suis reposé sur un excellent décorateur, qui disposait de plus de place que je n'en avais à Bruxelles. Il a créé une surface scénique très longue, avec des décrochements verticaux et des ponts-levis. L'effet était saisissant. Le rôle de Latidia était tenu par la productrice, qui se trouvait, par suite de certaines coïncidences biographiques, tout à fait dans la peau même du personnage. Enfin, en ce moment où je vous parle, la troisième production est encore à venir, et je compte pour interpréter le rôle sur Maria Schell dont j'attends beaucoup. Avec elle j'entrevois une interprétation plus douce, plus nostalgique, alors que la Brésilienne avait imposé un style violent et fort aux relations entre personnages. Je me suis rendu chez Maria Schell, qui habite sur la rivière de l'Inn une superbe maison, donnant sur un paysage tout à fait digne de Latidia. Elle a chez elle de petits appareils de musique, de petits automates dont je la vois déjà en train de déclancher le mécanisme pour en faire jouer la musique.

Des musiques d'un autre temps...

Texte repiqué d'après la bande originale enregistrée au magnétophone. La mise en forme et la ponctuation du texte sont dues à Albert Chesneau.

Arrabal enfant refusant le festin
Felez, 1967

ANNEXE 1

Angel Berenguer :

BIOGRAPHIE CHRONOLOGIQUE DE FERNANDO ARRABAL

Texte traduit de l'espagnol par Pierre Charpentier

Nous avons cherché à structurer cette *Biographie* au moyen de repères chronologiques pour que soit publiée pour la première fois en espagnol, sous une forme complète et ordonnée, la vie de l'auteur.

Cette formule nous paraît susceptible de répondre aussi bien aux besoins du lecteur qui en est à son premier contact avec la production de Fernando Arrabal qu'à ceux des étudiants en quête de références sur le dramaturge de Melilla. Il n'existait, à notre connaissance, aucune autre biographie d'Arrabal en espagnol, complète et récente, capable de résoudre les problèmes de chronologie par une organisation claire et méthodique des événements, et c'est ce que nous avons tenté de faire ici.

Il est vrai qu'on courait le risque de simplifier à l'excès l'évolution de l'auteur. Pour éviter cet écueil, nous avons signalé tout ce qui pouvait avoir une valeur significative, à nos yeux, dans la vie d'Arrabal.

Le lecteur trouvera ici le résultat de notre travail de ces neuf dernières années sur Arrabal et sur sa production dramatique. Quelques unes des données que nous proposons figurent aussi dans — et en certains cas proviennent de — l'excellente chronologie incluse par Bernard Gille dans son *Arrabal* (Paris, Seghers, 1970, pp. 175-191), qui s'arrête en 1970.

Enfin, nous sommes redevables à Fernando Arrabal et à sa femme, Luce, d'un certain nombre de données qu'ils nous ont fournies pour cette *Biographie* et, d'une façon plus générale, pour la réalisation de cette édition critique qui voit aujourd'hui le jour en Espagne, en une Espagne bien différente de celle qui emprisonna l'auteur, un an avant que nous ne commencions à Paris nos recherches sur son œuvre, sous la direction de Lucien Goldmann, maître dont je m'en voudrais de ne pas évoquer le souvenir au seuil de cette première contribution en langue castillane à la connaissance de l'auteur espagnol en exil qu'est Fernando Arrabal.

1932

Naissance de Fernando Arrabal Teran, le 11 août, à Melilla (province de Malaga, Maroc espagnol), de Fernando Arrabal Ruiz, officier de l'armée espagnole, et de Carmen Teran Gonzalez. De ce mariage était déjà née une fille, Carmen, le 16 septembre 1931, à Villa Rodrigo. Le troisième et dernier enfant, Julio, naît le 17 août 1934. Carmen est aujourd'hui médecin, et exerce en qualité de pédiatre. Julio a le grade de commandant dans l'armée de l'air. Tous deux vivent en Espagne, ainsi que la mère de l'auteur.

1936

Le père d'Arrabal est arrêté le 17 juillet, pour avoir refusé de se joindre au coup d'état militaire et pour avoir voulu rester fidèle à la République. Il est condamné à mort. Il passe un certain temps à la prison militaire de Ceuta, où il tente de se suicider. Plus tard on le transfère à la prison de Villa Rodrigo, non loin de Salamanque. C'est là aussi que retourne sa femme, accompagnée des enfants, car toute la famille maternelle habite Villa Rodrigo, qui deviendra le Villa Ramiro de *Baal-Babylone* et du film *L'arbre de Guernica*.

1937

Au mois de mars, la condamnation à mort du père d'Arrabal est commuée en trente ans de prison.

Arrabal commence à fréquenter l'école tenue par les sœurs de Sainte Thérèse à Villa Rodrigo, où la mère d'Arrabal a laissé ses enfants aux bons soins de sa famille, pour aller travailler comme secrétaire à Burgos, qui est à l'époque la capitale de l'Espagne nationaliste et le siège officiel du gouvernement du général Franco.

A Villa Rodrigo, Arrabal commence aussi à jouer avec un petit théâtre de carton-pâte, tout à fait semblable à celui qu'on voit dans le film *Viva la muerte*.

1940

Une fois la guerre terminée, la mère d'Arrabal continue à voyager de secrétariats en organismes officiels. Elle se transporte, avec ses trois enfants cette fois-ci, à Madrid, capitale de l'Espagne récemment reconquise. La famille connaît la vie du Madrid de l'après-guerre, au numéro 17, calle de la Madera Baja.

1941

Après avoir remporté un concours réservé aux enfants surdoués, Fernando Arrabal obtient une bourse pour faire ses études au Collège des Frères des Ecoles Chrétiennes de Saint Antoine.

Le 4 décembre de cette même année, son père est transféré de la prison à l'hôpital militaire de Burgos, où on le traite comme un malade mental. Des recherches entreprises plus tard par Arrabal le convaincront que son père a simulé la folie pour échapper à la haute surveillance qui lui était imposée et trouver moyen de s'évader plus facilement.

1942

Le 21 janvier, alors qu'il vient de tomber sur Burgos un mètre de neige, Fernando Arrabal Ruiz s'échappe, en pyjama, de l'hôpital militaire, et on n'entend plus jamais parler de lui. Malgré une enquête minutieuse, son fils n'a jamais pu trouver quelqu'un qui ait été capable de lui expliquer une fuite accomplie dans de telles conditions !

Arrabal abandonne le Collège de Saint Antoine et entre chez les Frères des Ecoles Chrétiennes de Getafe, dans la banlieue Sud de Madrid, sur la route de Tolède.

1943

Durant cette année-là et celles qui vont suivre, Arrabal se lance dans ses expériences de « voyou » madrilène : il apprend à resquiller au cirque et au cinéma. Il développe de picaresques talents de vagabondage qui, de son propre aveu, lui seront fort utiles par la suite. Il fait croire à sa mère qu'il revoit son père et que ce dernier lui donne de l'argent. Il fait ses premières escapades hors du logis.

1947

Poussé par sa mère, le jeune Arrabal entreprend de préparer l'Ecole Militaire *(la Academia General Militar)*. Mais au lieu d'assister aux cours, il préfère aller au cinéma. C'est ainsi que, dans des salles de quartier, il découvre les grands films comiques de l'époque, et spécialement ceux des Américains, avec les *Marx Brothers,* etc...

1949

La mère d'Arrabal se résigne au peu d'intérêt manifesté pour l'Ecole Militaire, et enterre ses illusions. Elle décide d'envoyer son fils à Tolosa, dans la province de Guipuzcoa, pour le faire entrer à l'Institut du Papier *(Escuela Teorico-Practica de la Industria y Comercio del Papel)*. Avant son départ, Arrabal découvre des photographies de famille, d'où on a soigneusement fait disparaître en la découpant la tête de son père. Il trouve aussi des lettres et des souvenirs personnels du disparu. Les relations familiales étant devenues des plus tendues, le départ pour Tolosa, le 1er septembre, apparaît comme une libération.

1950

A Tolosa, Arrabal se jette à corps perdu dans l'étude, et participe à sa manière aux conflits sociaux et politiques d'Euzkadi. C'est à cette époque que pour faire impression sur une jeune fille il écrit une *Vie des musiciens célèbres,* recopiée d'après des articles de dictionnaires. Il compose ses premières pièces, encore inédites aujourd'hui.

1951

On l'envoie à la Papeterie de Valence (Espagne). Là, il passe son bachot, traverse une crise de mysticisme, décide de se faire jésuite, mais change bientôt d'opinion.

1952

Toujours employé par les Papeteries Espagnoles, il se voit expédier à Madrid, où il entreprend des études de droit. Il lit William Saroyan, Mihura, Kafka, Dostoïevski, etc... Il fréquente l'Athénée de Madrid. Il fonde une Académie avec Fernandez Arroyo, Fernandez Molina, José Luis Mayoral, Eduardo Sainz Rubio et Luis Arnaiz. C'est là qu'il lit ses premières œuvres : *La techumbre* (Le toit), *El caro de heno* (Le char de foin), *La herida perenne* (La blessure incurable), etc... La première version de *Pique-nique en campagne* doit dater de ce moment-là. Le premier manuscrit qui en a été conservé est postérieur à 1955. Il est très différent de la version définitive (c'est presque un brouillon) et s'intitule en Espagnol *Los soldados* (Les soldats). La version définitive doit dater des environs de 1957, alors qu'Arrabal en prépare l'édition dans *Les Lettres Nouvelles* (mars 1958).

Il termine sa première année de Droit.

1953

Arrabal fréquente de plus en plus assidûment les *Postistes* — poètes auxquels il est très lié — et il écrit (entre

129

1952 et 1953) *Le tricycle,* qui fut d'abord *Les hommes au tricycle.* Il présente cette pièce au Prix « Ville de Barcelone ».

A Madrid, il assiste aux représentations de *Didon, Petit Théâtre (Pequeño Teatro),* dirigé par Josefina Sanchez Pedreño, avec l'aide de Trino Martinez Trives. Ce *Théâtre Expérimental* présente des œuvres d'avant-garde.

Il fait en un an ses deuxième et troisième années de droit.

1954

Ayant appris que l'Ensemble de Berlin présentait *Mère Courage* à Paris, Arrabal s'y rend en auto-stop et, mettant à profit ses talents acquis au contact de la « voyouserie » madrilène, il entre sans payer au théâtre Sarah Bernhardt.

Il fait la connaissance d'une étudiante française, Luce Moreau, qui allait devenir sa femme.

Il termine sa quatrième année de droit, en y ajoutant quelques certificats de cinquième année.

1955

Il obtient une bourse de trois mois pour faire des études à Paris. Il vit à la Maison de l'Espagne de la Cité Universitaire.

Gravement atteint de tuberculose, il entre à l'hôpital de la Cité Universitaire. Arrabal considère cette maladie, contractée selon toute vraisemblance durant les années de faim de l'après-guerre, comme un coup du sort qui lui permet de demeurer à Paris de façon définitive. Son premier exil est, alors, un exil physiologique dû aux conséquences de la guerre civile. Il se transforme peu à peu en exil moral, après avoir été un exil esthétique (réaction contre la littérature espagnole à la mode).

1956

Février : Arrabal est transporté au sanatorium de Bouffémont (Seine et Oise), où il écrit *Fando et Lis* et

Cérémonie pour un Noir assassiné.

Novembre : il est opéré, à l'hôpital Foch, de Suresnes. Pendant les premiers mois de sa convalescence, il écrit *Les deux bourreaux* et *Le labyrinthe* (œuvre qui suggère une bonne connaissance de Kafka).

1957

Arrabal retourne au sanatorium de Bouffémont pour y poursuivre sa convalescence, et continue d'écrire pour le théâtre. *Oraison* appartient à cette époque.

Luce Moreau envoie *Le tricycle* au Concours d'Aide à la première pièce, à la suite de quoi Arrabal rencontre Jean-Marie Serreau et lui fait lire, ainsi qu'à Geneviève Serreau, bon nombre de ses manuscrits. La pièce la plus importante de cette époque de la carrière théâtrale d'Arrabal, *Le cimetière des voitures,* reçoit sa forme définitive. L'été se passe à Lanzahita, dans la province d'Avila, où Arrabal écrit son *Orchestration théâtrale,* qui recevra en 1967 le nouveau titre de *Dieu tenté par les mathématiques.* Retourné à Paris, l'écrivain compose *Les amours impossibles* et *Les quatre cubes.*

Octobre : Arrabal signe un contrat d'édition chez Julliard.

1958

29 janvier : on joue à Madrid, au Théâtre des Beaux Arts, une pièce d'Arrabal qui ne connaîtra qu'une seule représentation : il s'agit du Tricycle, interprété par la troupe *Didon,* toujours dirigée par Josefina Sanchez Pedreño. Arrivé à Madrid le 29, Arrabal en repart le 30 au matin pour Paris.

1er février : Fernando Arrabal épouse Luce Moreau, aujourd'hui maître assistant d'Espagnol à l'Université de Paris IV. C'est elle qui fera entrer dans la littérature française l'œuvre de cet auteur espagnol, au prix d'un extraordinaire travail de traduction.

Arrabal achève *Concert dans un œuf.*

25 juin : la compagnie de Jean-Marie Serreau joue au Festival des Images d'Epinal *La vie est un songe,* de Calderon, dans une adaptation d'Arrabal. Ce dernier, qui accompagne la troupe au Festival, joue lui-même un rôle dans une autre production, inspirée de Kafka.

Durant l'été, il retourne à Madrid pour y rendre visite à sa mère. Il achève *Baal-Babylone,* roman commencé à Valence vers 1951.

Julliard publie le premier volume du *Théâtre* d'Arrabal.

Novembre : *Les Lettres Nouvelles* publient un article de Geneviève Serreau : « Arrabal, un nouveau style comique ».

Il écrit *La communion solennelle.*

1959

En janvier, Julliard publie *Baal-Babylone.*

Arrabal écrit *Guernica,* pièce connue en Espagne sous le titre baroque de *Ciugrena* (anagramme de *Guernica*). L'édition originale de *Ciugrena* paraît chez Taurus.

25 avril : pour la première fois en France on joue une pièce d'Arrabal, *Pique-nique en campagne,* dans une mise en scène de Jean-Marie Serreau.

4 novembre : départ d'Arrabal pour les Etats-Unis, où il a obtenu une bourse pour développer sa vocation d'écrivain. Il se trouve en compagnie, entre autres, d'Italo Calvino, de Claude Ollier et de Robert Pinget. Il visite tout le pays et demeure fasciné par la ville de New York, où on lui donne, dans les locaux de l'Université de Columbia, la chambre que Federico Garcia Lorca avait occupée des années auparavant.

1960

Avril : retour des Etats-Unis. A Paris, Arrabal entreprend un nouveau roman, *L'enterrement de la sardine,* à paraître chez Julliard en 1961.

Octobre : on joue *Orchestration théâtrale* au Théâtre de l'Alliance française, sous la direction de Jacques Polien.

Arrabal achève *La bicyclette du condamné*, commencée en 1959.

1961

24 novembre : Julliard édite le second volume du *Théâtre*, comprenant *Guernica, Le labyrinthe, Le tricycle, Pique-nique en campagne* et *La bicyclette du condamné*. Aurait dû y trouver place aussi un *Don Quichotte*, qui deviendra plus tard, une fois achevé, *Concert dans un œuf*.

Ce même mois, à Mexico, Jodorowski monte *Fando et Lis*.

1962

En février, Arrabal crée le mouvement panique, avec, entre autres, Topor, Jodorowski, Sternberg. Le titre du mouvement évoque le nom du dieu Pan, révéré chez les anciens Grecs.

Jean Benoît le présente à André Breton, et Arrabal assiste dès ce moment-là aux réunions des Surréalistes, bien qu'il n'ait jamais appartenu officiellement au mouvement. Ses textes paniques, réunis plus tard dans *La pierre de la folie* paraissent dans le premier numéro de la revue surréaliste *La Brèche*.

1963

Le nº 4 de *La Brèche* fait connaître *La communion solennelle*.

Les *Textes paniques (Textos Panicos)* paraissent dans le numéro de février de la revue espagnole *Indice*. Un mois plus tard, dans son nº 170, la même revue publie les *Récits paniques*, « *Relatos panicos* ».

2 mai : Arrabal reçoit ses exemplaires d'auteur de *La pierre de la folie*.

Durant les semaines suivantes, il écrit *Le grand cérémonial* et une pièce panique pour Rita Renoir,

Strip-tease de la jalousie. Il commence la rédaction de *Fêtes et Rites de la Confusion.*

Invité à Sydney, Australie, pour assister à la représentation de *Fando et Lis* et des *Deux bourreaux,* Arrabal prononce sa fameuse conférence sur l'homme panique (*El hombre panico*), qui parvient au public espagnol grâce au n° CXIII de *Papeles de Son Armadans* (août 1965).

A son retour, Arrabal fait escale à Mexico, où on ne l'attendait que le lendemain, et il se retrouve tout seul à l'aéroport. Il ne parvient pas à régler les formalités douanières à cause de son passeport espagnol, et se voit contraint de reprendre sur le champ l'avion pour Paris.

L'éditeur Gallimard crée une collection *Panique,* dont le premier volume est consacré à une œuvre d'Edouard Atiyah, *L'Etau.*

Arrabal entre en collaboration avec trois peintres figuratifs espagnols pour créer une série de tableaux. Les peintres Arnaiz, Crespo et Felez reçoivent d'Arrabal des esquisses accompagnées des descriptions détaillées des futurs tableaux. Ces derniers entendent donner de l'écrivain et des événements de sa vie une vision onirique fondée sur des aspects très concrets de la vie quotidienne. Les matériaux employés vont de l'affichette publicitaire (telle *La vache qui rit* dans *La naissance d'Arrabal*) aux dessins d'encyclopédies en passant par des passages copiés dans l'œuvre de peintres célèbres. C'est ainsi qu'Arnaiz utilise pour peindre *Arrabal combattant sa mégalomanie* à la fois l'illustration d'une page du dictionnaire et *L'Enterrement de la sardine,* de Goya.

Arrabal écrit *Le couronnement.*

1964

On joue cette année-là plusieurs œuvres, dont *Fando et Lis, Le grand cérémonial, Strip-tease de la jalousie.* La critique « officielle » est souvent hostile.

Le *Strip-tease de la jalousie* est joué au cours du 1er Festival de l'Expression libre, où furent représentés aussi *Les Mystères* du *Living Theatre*.

En juin, Arrabal rencontre Victor Garcia.

On exécute deux nouveaux tableaux, *Arrabal décapitant Narcisse* et *Arrabal célébrant la cérémonie de la confusion*.

Nota :

En raison de la multitude des représentations des pièces d'Arrabal, nous nous limiterons à signaler désormais les plus importantes ou les plus significatives d'entre elles. Pour en donner une idée : on joue depuis 1958 au moins une pièce d'Arrabal par an à Paris. Dans les capitales d'Europe et d'Amérique, Arrabal est tous les ans à l'affiche. A New York, 2 de ses pièces, *Le cimetière* et *Les menottes,* ont obtenu le prix O.B.Y. A Londres, le *National Theatre* a mis à son programme pendant deux saisons *L'Architecte* dans deux mises en scène différentes. A Prague, lorsque les tanks russes arrivèrent, il y avait à l'affiche 3 pièces d'Arrabal, dont *L'Architecte,* monté par le Théâtre de la Balustrade. Parmi les metteurs en scène les plus célèbres, citons Peter Brook, Lavelli, Victor Garcia, Tom O'Horgan qui, parmi bien d'autres, se sont intéressés à Arrabal. A Tokyo, Arrabal s'est trouvé joué par le théâtre No, obtenant le prix théâtral de l'année. Il faut ajouter à cette liste les Prix les plus prestigieux du Brésil. Pour terminer cette énumération, nous dirons que, selon la Société des Auteurs et Compositeurs dramatiques, il ne s'est guère passé de mois où une pièce d'Arrabal n'ait pas été représentée une dizaine de fois quelque part dans le monde.

1965

En dépit de la réception hostile de la critique, la représentation parisienne du *Couronnement* dura trois mois au Théâtre Mouffetard.

Le 13 janvier, Julliard publie le troisième tome du *Théâtre* (*Le couronnement, Le grand cérémonial, Concert dans un œuf, Cérémonie pour un Noir assassiné*).

Le 24 mai, spectacle panique présenté au Centre Américain de Paris, sous la conduite de Jodorowski et avec le titre : *Le groupe panique international présente sa troupe d'éléphants.* Dans le spectacle, qui dure quatre heures, est incluse une pièce d'Arrabal, *Les amours impossibles.*

Pour la première fois, Arrabal s'intéresse au cinéma et il compose le scénario de deux films signés de Fernando Arroyo : *Les mécanismes de la mémoire* et *Le voleur de rêves* (sa femme participe à ce dernier film).

Le 18 novembre, Arrabal publie dans *Ultima hora* son théâtre panique.

Arnaiz exécute deux commandes d'Arrabal : *Naissance d'Arrabal* et *Arrabal rocher.* Crespo peint *Arrabal adoré par les Géantes* et *Arrabal menacé par l'Immortalité.* Le nº 8 de la revue *Yorrick* publie à Barcelone *Le tricycle.* Les éditions Taurus publient à Madrid un volume de théâtre réunissant *Le cimetière, Les deux bourreaux* et *Ciugrena.*

1966

Arrabal écrit *La jeunesse illustrée* et *Dieu est-il devenu fou ?* après avoir visité l'exposition d'Ipoustéguy à la Galerie Claude Bernard.

Le nº 205 de la revue espagnole *Indice* fait connaître à Madrid le mouvement panique. En mars, le nº 232 de la revue *Insula* publie en espagnol *Sept récits paniques de Fernando Arrabal.* Toujours à Madrid, Alfaguara diffuse *Arrabal célébrant la cérémonie de la confusion.*

En juin, Victor Garcia monte à Dijon un spectacle composé à partir de quatre pièces d'Arrabal, *Oraison, Les deux bourreaux, Le cimetière des voitures* et *La communion solennelle.* La critique ne se tient plus d'enthousiasme, et le spectacle est repris par deux fois, une fois à Paris au Théâtre des Arts en 1967, et une fois à Sao Paulo en 1969.

Dans un spectacle intitulé *Saint Benoît dans sa baignoire,* Jorge Lavelli met en scène une pièce d'Arrabal *(Une chèvre sur un nuage),* au Théâtre du Bilboquet à Paris.

Durant l'été, à Madrid et à la Casa del Campo, Arrabal met la dernière main à une de ses pièces les plus importantes, *L'Architecte,* déjà pratiquement terminée en février (Cf. le n° 15, page 9, I, de la revue *Yorick).*

On réalise le tableau *Arrabal sauvé par le Phénix.*

1967

Le 10 janvier, publication de *Fêtes et rites de la confusion.* Christian Bourgois devient l'éditeur attitré d'Arrabal en France, et se charge du *Théâtre panique,* qui comprend une série de petites pièces et surtout le fameux *Architecte,* accompagné d'un commentaire de l'auteur intitulé « Le théâtre comme cérémonie panique ».

Arrabal s'attelle à la composition d'*Ars amandi.*

Le 15 mars, au Théâtre Montparnasse-Gaston Baty, Lavelli étrenne *L'Architecte.*

Arrabal entame *Le jardin des délices.*

En juin, on l'invite à venir dédicacer à Madrid les exemplaires de son livre *Arrabal célébrant la cérémonie de la confusion.* Un provocateur lui réclame une dédicace panique, qui soit « blasphématoire et très forte ». Arrabal s'exécute. Mais il arrêté dans la nuit du 20 au 21 juillet et conduit à Murcie, puis à Madrid, où on l'enferme dans la prison de Carabanchel. Il en sortira le 14 août, à la suite d'une campagne internationale demandant sa libération, et grâce à l'aide de quelques amis, écrivains ou non, qui prennent sa défense. Parmi eux, Samuel Beckett.

De retour en France, il achève *Le jardin des délices,* œuvre-clef pour la compréhension de son évolution ultérieure, et transforme en opéra son *Orchestration théâtrale,* qui devient *Dieu tenté par les mathématiques.*

Il apparaît comme acteur dans le film de Baratier, *Piège,* et le peintre Felez termine son tableau intitulé *Arrabal enfant refusant le festin.*

Le 31 octobre, paraît chez Albin Michel une présentation de dessins de Topor, due à Arrabal. La revue *Los Esteros* publie son texte « Images de la confusion ».

1968

Christian Bourgois publie son *Théâtre I,* réédition des premières pièces d'Arrabal.

En avril paraît le premier numéro de la revue *Le théâtre,* dirigée par Arrabal, toujours chez Christian Bourgois. Le premier volume (1968) est consacré au baroque, le second (1969-1) à la contestation et le troisième (1969-2) au Grand Guignol. En 1970 paraît le numéro quatre, *Le théâtre en marge,* suivi en 1971 du volume V, *Les monstres.* En 1972, après plusieurs années d'efforts pour faire paraître un numéro consacré au théâtre espagnol, Arrabal était prêt à donner un *Théâtre homosexuel.* Mais le théâtre espagnol répondit à cette intention d'Arrabal par ses habituelles manœuvres, dictées par l'esprit de contradiction, et il se débrouilla pour empêcher la sortie du numéro.

Arrabal termine la rédaction d'*Ars amandi.* Il participe activement aux événements de mai 1968, et occupe avec des amis le Collège d'Espagne à la Cité Universitaire.

J. Yves Bosseur compose la musique de *Dieu tenté par les mathématiques.*

Arrabal écrit deux autres pièces qu'on ne tardera pas à jouer : *Bestialité érotique* et *Une tortue nommée Dostoïevski.* En relation avec le mouvement de mai 1968, il compose une œuvre d'inspiration anarchiste, *L'aurore rouge et noire,* qu'on jouera la même année à Bruxelles.

Felez peint *Arrabal-Prométhée* et *Le labyrinthe.*

Contre la volonté d'Arrabal, on réédite le volume de

Taurus (Collection « Premier Acte »).

1969

C'est une année d'intense activité, qui voit paraître les œuvres suivantes :

— Volume III *(Le grand cérémonial* et *Cérémonie pour un Noir assassiné)* ; présenté comme une réédition du volume III paru chez Julliard, il n'en contient en réalité que deux pièces. Les autres paraîtront dans le volume IV.

— Volume IV *(Théâtre 4,* Bourgois, 3e trimestre), qui contient *Le lai de Barrabas* (transformation du *Couronnement,* paru dans la première édition du volume III) et *Concert dans un œuf.* Quant au Volume V, c'est le *Théâtre panique,* déjà publié au cours de l'année 1967.

— Volume VI (premier trimestre de cette même année), qui contient *Le jardin des délices, Bestialité érotique* et *Une tortue nommée Dostoïevski.*

— Volume VII *(Théâtre de guérilla),* quatrième trimestre, qui contient *Et ils passèrent des menottes aux fleurs* ainsi qu'un ensemble de pièces courtes, *Groupuscule de mon cœur, Tous les parfums d'Arabie, Sous les pavés la plage, Les fillettes,* réunies sous le titre collectif de *L'aurore rouge et noire.*

A Madrid, le 11 février, la police occupe le théâtre où Victor Garcia devait présenter en spectacle groupé *Les deux bourreaux* d'Arrabal et *Les bonnes* de Genet. Finalement, seule sera autorisée la représentation des *Bonnes.*

En avril, Arrabal termine *Dieu tenté par les mathématiques,* et, le 15 de ce mois, s'envole pour les Etats-Unis. C'est à New York qu'entre juillet et août il écrit *Les menottes,* dont nous avons déjà signalé quelques lignes plus haut la présence dans le Volume VII. Arrabal met lui-même son texte en scène à son retour des Etats-Unis, et la pièce est jouée au Théâtre de l'Épée de bois, disparu depuis, le 20 septembre.

En octobre, Arrabal reçoit le Prix de l'Humour Noir. Le 30 de ce mois, on joue à Paris *Le jardin des délices,* avec Delphine Seyrig et Marpessa Dawn, dans une production de Claude Régy.

Les éditions Pierre Belfond publient le livre d'Alain Schifres, *Entretiens avec Arrabal.*

1970

14 janvier : naissance de Lelia Paloma Ofelia, fille d'Arrabal.

Publication du Volume VIII, contenant *Ars amandi* et *Dieu tenté par les mathématiques.* Le titre du volume est le suivant : *Deux opéras paniques.*

Arrabal compte présenter au Festival d'Avignon *La guerre de mille ans (Bella Ciao),* dont il prépare la mise en scène avec Jorge Lavelli. Mais la pièce est supprimée du programme du Festival.

En été, il tourne à Tunis *Viva la muerte,* où se retrouve l'inspiration de *Baal-Babylone.* Invité par le collège américain *Antioch College,* il retourne aux U.S.A., et s'arrête à New York pour y monter *Les menottes.*

Publication chez Seghers, dans la collection Théâtre de tous les temps, de l'*Arrabal* de Bernard Gille.

La collection 10/18 publie le 15 juin la seconde édition de *L'enterrement de la sardine.*

1971

Publication en espagnol du premier volume de théâtre édité à Paris par Christian Bourgois *(Oracion, Los dos verdugos, Fando y Lis, El cementerio de automoviles).*

Le 18 octobre, 10/18 publie un volume intitulé *L'architecte et l'empereur d'Assyrie* qui contient en outre tout le *Théâtre de guérilla.*

En novembre se place une importante représentation du même *Architecte* à Nuremberg, sous la direction de Jorge Lavelli.

1972

Envoyée à son destinataire en mars 1971, sans que ce dernier y réponde jamais, la *Lettre au général Franco,* due à Arrabal, paraît en édition bilingue dans la collection 10/18, le 28 janvier.

Arrabal met au point le texte de *Bella ciao,* qui s'appelle aussi *La guerre de mille ans,* et n'hésite pas à souligner le caractère collectif de cette création. La pièce sera jouée dans la grande salle du Théâtre National Populaire, à Paris, sous la direction de Lavelli, le 25 février. Le texte en est publié le jour même chez Christian Bourgois.

15 juillet : naissance d'un fils, deuxième enfant d'Arrabal, auquel on donne le prénom de Samuel, en hommage à Beckett. Le 18 mai avait paru le volume IX du *Théâtre,* contenant *Le ciel et la merde* et *La grande revue du XXe siècle.*

15 novembre : publication de la troisième édition du premier volume du *Théâtre* en 10/18.

Entre le 20 et le 25 novembre, participation active à *La table de Blumenthal* (Premières journées universitaires consacrées au Théâtre espagnol contemporain), organisée par l'Université de Paris III-Sorbonne nouvelle. C'est là qu'on trouve pour la première fois Arrabal participant avec d'autres auteurs espagnols à une réflexion sur le théâtre et sur la société de l'Espagne.

Françoise Raymond-Mundschau publie dans la collection Classiques du XXe Siècle, aux Editions Universitaires, à Paris, son livre intitulé *Arrabal.*

1973

Durant l'été, on tourne, à la fois en France et à Tunis, le nouveau grand film d'Arrabal *J'irai comme un cheval fou (Iré como un caballo loco).*

Le 15 novembre, la censure française interdit la projection du film, dans le temps où précisément le jury chargé de sélectionner le meilleur film pour représenter la

France dans les festivals internationaux du cinéma choisit *J'irai comme un cheval fou,* à une large majorité. Ce que voyant, la censure lèvera son interdiction, et le film sera joué courant novembre.

26 août : publication chez André Balland, à Paris, du *New York d'Arrabal,* photographies et texte de l'auteur. Il y a là une espèce de surprenant hommage à la ville, sale mais éblouissante, que Garcia Lorca avait déjà chantée des années auparavant dans un de ses livres les plus importants, *Poète à New York.*

1974

En avril, alors qu'il donne une série de conférences aux Etats-Unis, Arrabal visite Madrid, ville minière fantôme du Nouveau Mexique. Impressionné par la vision de cette cité abandonnée d'un seul coup lorsque cesse la vogue du charbon aux Etats-Unis, Arrabal écrit en mai, alors qu'il est revenu à Paris, *La ballade du train fantôme,* également intitulée *Sur le fil.* C'est là qu'il aborde le thème de son « être ailleurs », de sa condition d'auteur exilé. Le texte de la pièce paraît en édition bilingue le 30 mai, chez l'éditeur habituel d'Arrabal.

En novembre, Arrabal fait un voyage au Japon. Il y assiste à la création d'une de ses pièces par le Théâtre No. Passant par les Etats-Unis, il donne une conférence à l'Université de New York *(State University of New York),* sur son campus d'Albany. Il y reconnaît publiquement, pour la première fois, le caractère national de son œuvre, pensée en espagnol, écrite en espagnol, et traduite en français par sa femme, Luce Arrabal.

Les éditions du Rocher publient le nouveau livre d'Arrabal, *Sur Fisher, Initiation aux échecs.*

Arrabal participe très activement à une campagne internationale contre la détention arbitraire en Espagne d'Alfonso Sastre, d'Eva Forest et de certains de leurs amis.

Il écrit *Jeunes barbares d'aujourd'hui,* dont le titre fait allusion à la phrase célèbre d'Alejandro Lerroux Garcia.

1975

Le 23 mai, on joue *Jeunes barbares d'aujourd'hui*, au théâtre Mouffetard, et le texte en est publié le jour même chez C. Bourgois.

Durant l'été, on tourne à Matera, ville du Sud de l'Italie, le troisième grand film d'Arrabal, *L'arbre de Guernica*. Ce film n'a rien à voir avec la pièce *Guernica* écrite en 1959, mais traduit plutôt une prise de conscience de plus en plus aigüe des problèmes qui se posent à un auteur espagnol, de plus en plus préoccupé par le drame de son pays natal en lutte contre une dictature fasciste. Le film sort à Paris durant l'automne.

En octobre, Lavelli met en scène *La ballade du train fantôme* au Théâtre de l'Atelier.

Arrabal se joint à la protestation internationale contre l'exécution de cinq prisonniers politiques en Espagne, exécution qui eut lieu en septembre.

Il met en chantier au début de l'année *Oye Patria mi afliccion*, qui plus tard s'appellera *La tour de Babel*.

J.J. Daetwyler publie son *Arrabal* aux Editions L'âge d'homme, à Lausanne (Suisse).

1976

A Bruxelles, le 20 mars, le ministre des Affaires Etrangères de l'Espagne, José Maria de Areilza, déclare Arrabal interdit de séjour en Espagne, avec cinq autres Espagnols à jamais bannis de leur patrie (Rafael Alberti, La Passionaria, Lister, Santiago Carrillo et el Campesino).

Un numéro de la revue *Estreno* (Université de Cincinnati) dédié à Fernando Arrabal publie, entre autres articles, une première version de *L'architecte*.

En mai, Arrabal se rend à New York pour assister aux premières représentations de son film, *L'arbre de Guernica,* ainsi qu'à une mise en scène de *L'Architecte*, due à Tom O'Horgan, qui présente la pièce au théâtre de La

Mama-Annexe. Il faut signaler ces deux réalisations, et les saluer comme un extraordinaire succès critique en cette cité photographiée et chantée par l'auteur en son livre de 1973.

Pendant l'été, Arrabal collabore à la revue espagnole *Cambio 16,* en lui envoyant des textes d'une façon sporadique. C'est aussi à ce moment-là qu'une librairie qui expose des œuvres d'Arrabal dans sa vitrine à Perpignan subit un attentat, du même type que ceux qu'on attribue ordinairement à l'extrême droite espagnole, lorsqu'elle s'en prend à des centres ou à des librairies jugées « gauchistes » dans le sud de la France.

Arrabal caresse le rêve de se faire jouer en Espagne. Il présente à l'examen de la censure le texte de *La ballade du train fantôme* et celui de *La tour de Babel,* qui n'obtiennent ni l'un ni l'autre la permission d'être représentés.

Il commence une biographie du peintre Camilo Otero.

1977

En janvier, on joue pour la première fois à Paris son vaudeville *Vole-moi un petit milliard.* Cependant, Tom O'Horgan et la Compagnie Nelly Vivas décident de reprendre *L'architecte* à New York, en raison de l'énorme succès que la pièce avait obtenu en mai 1976. La première représentation a lieu le 15.

Invité à donner une tournée de conférences en Amérique, Arrabal est l'hôte, en février, de plusieurs universités. Au Canada, l'Université de Toronto organise, du 7 au 11, un rassemblement autour d'Arrabal et de son œuvre, auquel participent et l'auteur et des spécialistes du monde entier. Au lendemain de cet hommage, Arrabal s'envole pour Sao Paulo, où la Compagnie Ruth Escobar se propose de monter *La tour de Babel.*

Finalement, au moment de terminer cette *chronobiographie,* la représentation d'un certain nombre de pièces d'Arrabal en Espagne paraît imminente. Parmi les possibilités que l'auteur nous laisse entrevoir, il y a :

— *L'architecte et l'empereur d'Assyrie,* à Barcelone, dirigé par Klaus Gruber, un des plus importants metteurs en scène de l'Allemagne actuelle,

— *Le cimetière des voitures,* à Madrid, sous la direction de Victor Garcia,

— *Oye Patria mi afliccion* (version espagnole de *La tour de Babel),* par la Compagnie Aurora Bautista.

Ces représentations devraient commencer en avril, selon les informations que nous donne Arrabal. Ce sera, en tout état de cause, la première fois que le théâtre de l'exilé Fernando Arrabal parviendra jusqu'aux scènes du théâtre commercial en Espagne.

Fait à Saratoga Springs,
N.Y., U.S.A., et terminé le 1er mars 1977.

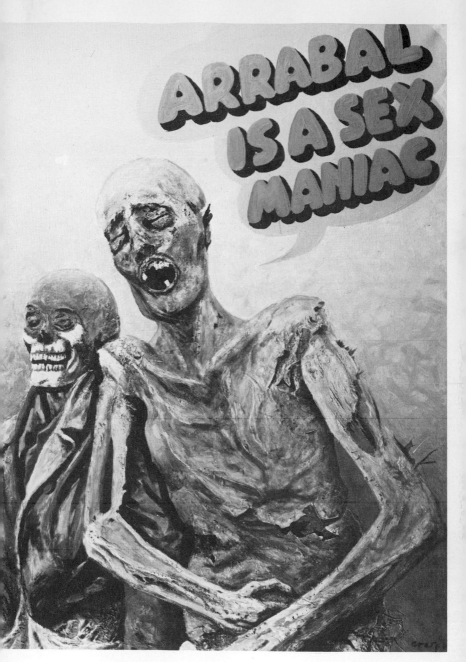

Arrabal calomnié descend aux Enfers
Crespo, 1967

TABLE DES MATIÈRES

ACHEVÉ D'IMPRIMER PAR
L'IMPRIMERIE CH. CORLET
14110 CONDÉ-SUR-NOIREAU

N° d'Imprimeur : 3298
Dépôt légal : 4e trimestre 1978